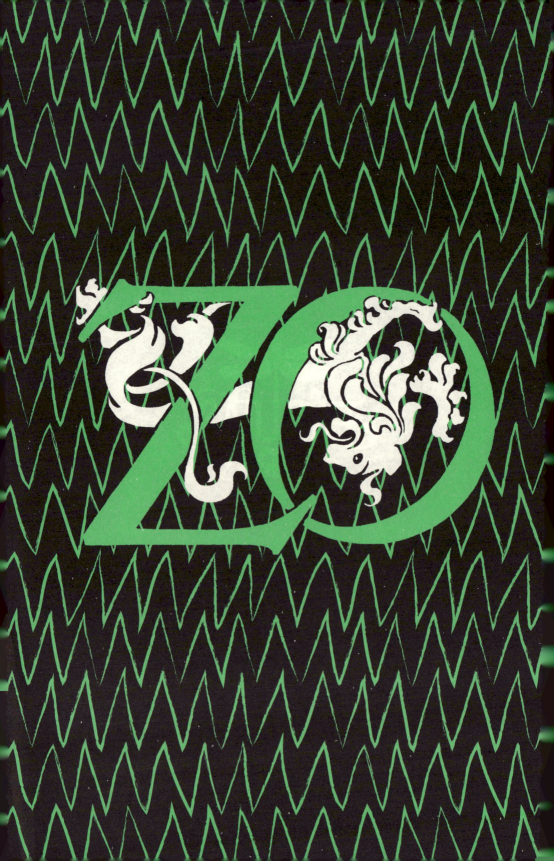

Tradução para a língua portuguesa
© Marcia Heloisa, 2020

Diretor Editorial
Christiano Menezes

Diretor Comercial
Chico de Assis

Gerente Comercial
Giselle Leitão

Gerente de Marketing Digital
Mike Ribera

Editores
Bruno Dorigatti
Lielson Zeni
Marcia Heloisa
Raquel Moritz

Editora Assistente
Nilsen Silva

Capa e Projeto Gráfico
Retina 78

Coordenador de Arte
Arthur Moraes

Designer Assistente
Sergio Chaves

Finalização
Sandro Tagliamento

Revisão
Aline TK
Fernanda Belo

Impressão e acabamento
Gráfica Geográfica

DADOS INTERNACIONAIS DE CATALOGAÇÃO NA PUBLICAÇÃO (CIP)
Andreia de Almeida CRB-8/7889

Baum, L. Frank (Lyman Frank), 1856-1919
  O mágico de Oz: Emerald Edition / Frank L. Baum ; ilustrações de
William Wallace Denslow ; tradução de Marcia Heloisa.
  — Rio de Janeiro : DarkSide Books, 2020.
  240 p. : il., color.

  ISBN 978-65-5598-001-1
  Título original: The Wonderful Wizard of Oz

  1. Literatura infantojuvenil norte-americana I. Título
  II. Denslow, W.W.   III. Heloisa, Marcia

20-1834   CDD 028.5

Índices para catálogo sistemático:
1. Literatura infantojuvenil norte-americana

[2020]
Todos os direitos desta edição reservados à
DarkSide® Entretenimento LTDA.
Rua Alcântara Machado, 36, sala 601, Centro
20081-010 — Rio de Janeiro — RJ — Brasil
www.darksidebooks.com

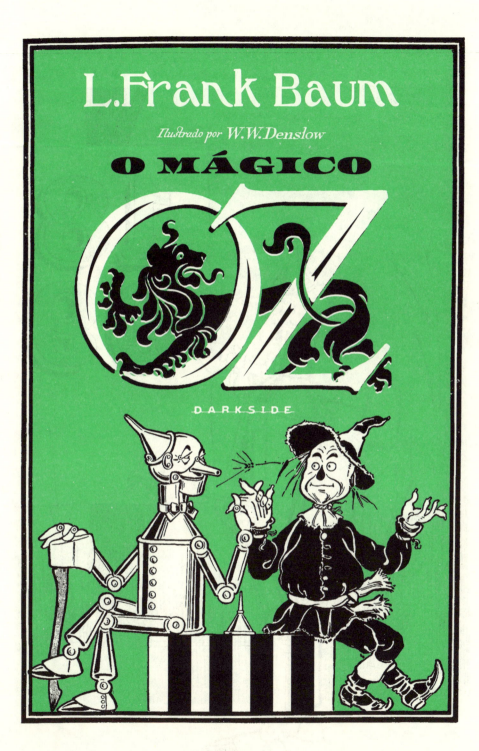

NÃO HÁ MELHOR LUGAR DO QUE A NOSSA CASA

— *Introdução DarkSide* —

Em setembro de 2018, a agente do FBI Jill Sanborn fez um importante comunicado à imprensa norte-americana. Diante das câmeras, anunciou que a célebre agência de investigações havia finalmente recuperado os sapatinhos de Dorothy, roubados em agosto de 2005 de um museu em Minnesota. Em tom circunspecto e solene, a impassível agente justificou a relevância da operação, declarando que os sapatinhos usados por Judy Garland na versão fílmica do romance de L. Frank Baum eram "um dos itens cinematográficos mais significativos e amados da história dos Estados Unidos". Ela não estava exagerando: na verdade, *O Mágico de Oz* é tão parte da construção identitária dos Estados Unidos quanto a Declaração de Independência, os escritos de Ralph Waldo Emerson ou os poemas de Walt Whitman. Também não é exagero dizer que se trata do primeiro e maior conto de fadas norte-americano, a pedra fundamental sobre a qual se ergueu o sólido e espalhafatoso palácio da imaginação estadunidense. *O Mágico de Oz* é uma história original, autêntica e que contém em seu cerne a crença que norteia o país, do período colonial até a atualidade: por mais que existam lugares fantásticos e reinos de faz de conta, "não há lugar melhor do que a nossa casa". Talvez esteja aí o segredo para o sucesso contínuo deste clássico que, publicado em 1900, desafia o tempo e se mantém, um século mais tarde, uma das histórias mais queridas e emblemáticas da literatura ocidental.

Os personagens de *O Mágico de Oz* estão gravados em nosso acervo mnemônico cultural e até mesmo quem não leu o romance de Baum ou viu sua mais famosa versão cinematográfica, lançada em 1939, conhece Dorothy, o Espantalho, o Homem de Lata, o Leão Covarde, o Mágico de Oz, as bruxas e, é claro, o cachorrinho Totó. O filme — uma extravagância em tecnicolor da MGM com efeitos especiais surpreendentes para a época e um elenco carismático, encabeçado pela *hors concours* Judy Garland — certamente contribuiu para a cristalização da fantasia de Baum na mente de seus incontáveis espectadores, mas o sucesso das aventuras de Dorothy na terra de Oz já era antigo. Começou em 1900, com o lançamento do primeiro do que viria a ser uma série de catorze volumes, quando o multifacetado & pluritalentoso Baum apresentou ao mundo o reino de Oz.

Lyman Frank Baum nasceu em Nova York, em 1856. Seus pais não eram milionários, mas, apesar dos reveses financeiros, Benjamin Baum conseguiu sustentar a mulher Cynthia e seus cinco filhos com muito conforto. Desde criança, o pequeno Frank gostava de ler e contar histórias e, utilizando uma prensa móvel comprada pelo pai, começou a editar e imprimir seu próprio jornal ainda adolescente. Aos doze anos, foi mandado para o Exército, aos dezessete, fundou uma revista amadora, aos vinte, decidiu criar galinhas. Também se envolveu com comércio, foi dono de armazém, caixeiro-viajante e editor de uma revista sobre decoração de vitrines. Sempre engenhoso e versátil, buscava aliar os anseios artísticos de sua mente criativa com empreendimentos rentáveis que pudessem bancá-los. Fascinado pelo universo cênico, decidiu seguir carreira nos palcos. O velho Benjamin investiu na paixão do filho e fundou uma companhia de teatro. Frank teve a oportunidade de administrar a companhia, escrever peças e até mesmo trabalhar como ator. Foi nessa época que um encontro fortuito com a bela Maud Gage mudaria para sempre o destino de Frank, bem como o rumo de sua carreira teatral.

Maud Gage era uma das moças mais interessantes e obstinadas de Nova York. Filha da extraordinária feminista Matilda Joslyn Gage, Maud foi encorajada a seguir carreira acadêmica como seus irmãos e, ao ser admitida na Universidade de Cornell, tornou-se uma das poucas moças em uma turma de quase duzentos rapazes. A vida na universidade não foi fácil para Maud, em parte por conta do seu temperamento (aparentemente combativo, mas bastante sensível), em parte pelo notório ativismo de sua mãe. Alguns colegas a ridicularizavam, reduzindo o pleito feminista a uma piada. Outros a viam como uma ameaça a um sistema conservador que temia qualquer tipo de desestabilização da soberania masculina nas instituições de ensino, no mercado de trabalho e, sobretudo, no núcleo familiar. Talvez tenha sido justamente a perseguição sofrida que tenha aproximado Maud de sua colega de quarto, Josie Baum, prima do nosso Frank.

Para economizar na acomodação universitária, Maud aceitara dividir quarto com Josie. Quanto mais convivia com Maud, mais Josie acreditava que ela seria a mulher ideal para seu excêntrico primo Frank. Na noite de Natal de 1881, Josie insistiu para que a colega ceasse com sua família. A intenção por trás do convite era aproximar Maud de Frank. No meio da festa natalina, organizada pela irmã e o cunhado do nosso jovem ator, Josie encarregou sua mãe de fazer as apresentações. "Frank, esta é Maud Gage, você vai amá-la", ao que Frank respondeu: "Considere-se amada, srta. Gage". Sem titubear, Maud retrucou: "Obrigada, sr. Baum, espero que faça jus a essa promessa". No ano seguinte, estavam casados.

O casamento, o nascimento dos quatro filhos e as subsequentes mudanças (de Nova York para Washington, depois para Dakota do Sul, depois para Chicago, e, por fim, para Califórnia) levaram Frank a abandonar de vez seus sonhos como ator, mas ele permaneceu encantado pelo teatro até o fim de sua vida. Fiel à sua natureza curiosa e criativa, acolheu com entusiasmo a fotografia (gastando 25 dólares, quantia razoável no século XIX, para comprar sua primeira máquina fotográfica portátil) e, mais tarde, investiu em espetáculos musicais e na indústria cinematográfica.

Inicialmente, Matilda Gage não viu com bons olhos o pretendente da filha: um ator teatral que optara por não fazer faculdade e, certamente, acabaria por frustrar a carreira acadêmica de Maud para aprisioná-la em uma vida doméstica convencional. Maud, no entanto, valeu-se do argumento que mais tocava o coração de sua mãe: liberdade. Declarando que a maior conquista de uma mulher é a liberdade para fazer suas próprias escolhas, ela abandonou a graduação e se casou com Frank. Com o tempo, Matilda haveria de constatar que Maud jamais se enquadraria no tradicional papel circunscrito às mulheres de sua época. Seu espírito independente nunca se rendeu aos imperativos vitorianos e, em sua casa, ela estabeleceu com Baum uma parceria que transcendia a habitual atribuição de papéis de acordo com o gênero dos cônjuges.

Em 1899, a consciência de que tais papéis estavam mudando — ou *deveriam* mudar — levou Baum a escrever a obra pela qual ficaria famoso enquanto escritor de livros infantis: *Papai Ganso*. Com ilustrações de W.W. Denslow, a coletânea de poemas era uma resposta à figura da Mamãe Gansa, tradicional arquétipo da mulher contadora de histórias que se popularizou na Europa do século XVII. Tendo lançado *Mamãe Gansa em Prosa* dois anos antes, Baum intuiu que a literatura infantil norte-americana do século XIX não deveria mais reproduzir o obsoleto padrão europeu e criou um personagem que invertia a dinâmica familiar. Se na tradição dos contos da Mamãe Gansa o marido saía para trabalhar e a mulher ficava em casa cuidando das crianças, na atualização de Baum, a Mamãe Gansa se modernizou, aderiu ao movimento feminista e confiou ao Papai Ganso a tarefa de contar histórias aos filhos, enquanto lutava por igualdade social. O livro foi um sucesso surpreendente e consagrou Baum e Denslow como expoentes da literatura infantil nos Estados Unidos. A escrita de Baum começava assim a espelhar suas convicções políticas. Entusiasmado pela força de Maud, a quem admirava incondicionalmente, Baum passou cada vez mais a defender a voz das mulheres, dentro e fora de casa. Para ele, os homens deveriam consultar suas mulheres em tudo, inclusive em questões financeiras, pois "elas lhes darão conselhos mais perspicazes do que seus próprios sócios". Contrariando a crença predominante de que a natureza emotiva das mulheres dificultava o pensamento racional, ele certa vez declarou: "A mente das mulheres é mais lógica do que a dos homens".[1]

A influência de Maud e sua mãe Matilda foram fundamentais não só para a carreira de Frank como escritor e jornalista, mas para a construção do seu personagem mais célebre: Dorothy Gale, a protagonista de *O Mágico de Oz*. Considerada por alguns críticos literários a primeira feminista da ficção infantil, Dorothy é firme, segura e determinada, o que instintivamente a estabelece como líder do grupo. Engajado na causa sufragista e defensor ferrenho do pleito feminino, Baum considerava inaceitável que mulheres fossem mantidas em um regime cultural e político de subserviência, ancorado em uma premissa perversa de inferioridade. Em *O Mágico de Oz*, as

---

1 Ver a excelente biografia de autoria de Rebecca Loncraine, *The Real Wizard of Oz: The Life and Times of L. Frank Baum* (Nova York: Gotham Books, 2009).

mulheres são enaltecidas e imortalizadas em retratos que exploram a riqueza dos muitos arquétipos femininos. Enquanto protagonista, Dorothy sintetiza o casamento dos opostos e consagra-se inapelavelmente humana: forte e vulnerável, egoísta e generosa, pueril e sábia — tudo ao mesmo tempo. Capaz de derrotar Bruxas Más e conquistar a simpatia de Bruxas Boas, Dorothy é também a única que possui tudo que falta aos demais personagens: cérebro, coração e coragem.

Na história de Baum, um ciclone transporta Dorothy para Oz e ela, ao deixar para trás as planícies cinzentas do Oeste norte-americano, aterrissa em um mundo fantástico. Embora vivencie aventuras memoráveis, a menina permanece impermeável aos encantos de Oz e o tempo todo cultiva uma ideia fixa: voltar para casa. No entanto, a inquebrantável obstinação de Dorothy não se justifica por um mero apego doméstico. Na verdade, estar longe de casa a aflige por ameaçar a construção de sua identidade enquanto americana; o preço de ficar para sempre em Oz é a perda de sua nacionalidade, algo de que Dorothy não está disposta a abrir mão. Embora Dorothy descreva o Kansas como um lugar árido e cinzento, o senso de pertencimento é mais valioso do que qualquer assimilação cultural. Ralph Waldo Emerson, um dos mais influentes arquitetos do *éthos* estadunidense, pontificou em sua *magnum opus*: "O sábio permanece em casa. A viagem é o paraíso dos tolos".[2] A literatura norte-americana também encampou essa premissa; autores como Herman Melville, Edgar Allan Poe e Mark Twain escreveram textos seminais sobre as agruras do deslocamento. Afastar-se do lar é perder os contornos da própria existência, algo que o americano não só entende, como considera *óbvio*. Quando o Espantalho confessa não entender o motivo pelo qual Dorothy deseja

---

2   Ver Ralph Waldo Emerson, *Self-Reliance*, 1841.

abandonar um lugar esplêndido como Oz para retornar à esterilidade do Kansas, ela é quase rude: "É porque você não tem cérebro".[3]

O nacionalismo de Dorothy talvez seja um dos motivos pelos quais o primeiro volume de Oz permanece o conto de fadas favorito dos Estados Unidos, desde os tempos do presidente William McKinley, quando foi lançado, até a era Trump. Mas a noção do lar como insubstituível não é a única premissa que cristaliza *O Mágico de Oz* no inconsciente nacional. A própria jornada dos quatro companheiros rumo à Cidade de Esmeraldas se encaixa em um dos direitos inalienáveis na Declaração de Independência: a busca pela felicidade. Nas entrelinhas de Oz, detectamos outros conceitos que formam os pilares do patriotismo estadunidense, como a crença no destino manifesto, a fé no sonho americano, a ascensão do *self-made man*. Examinar a cartografia dessa terra fantástica é compreender a geografia afetiva de um país que sempre se viu maior do que qualquer mapa; um país que se entende destino, esperança e ideal de liberdade. Nas alegorias de Oz encontramos todas as Américas: a pagã e a puritana, a cínica e a cívica, a autêntica e a *fake*. Entre mágicos de faz de conta, bruxas boas e más e desejos cuja única garantia de realização é, paradoxalmente, sua própria impossibilidade, OZ é o reflexo especular de US, uma das siglas dos Estados Unidos.

Embora à primeira vista Dorothy e Oz possam ser lidos como uma espécie de resposta norte-americana à Alice e seu País das Maravilhas, há diferenças essenciais entre as duas narrativas.

---

3 Curiosamente, Dorothy acaba se mudando para Oz nos volumes posteriores. Quando decidiu encerrar as aventuras da menina em *The Emerald City of Oz* [A Cidade de Esmeraldas de Oz], sexto volume da coleção, Baum fez com que dívidas insuperáveis levassem os tios de Dorothy a perderem a casa e ficassem sem ter onde morar. Ela então os leva para Oz. A pressão para que a coleção não fosse finalizada levou Baum a escrever mais oito volumes, mas a família não regressa mais para o Kansas. A ideia do lar converte-se na família, sugerindo que, onde quer que esteja com os seus, Dorothy estará em casa.

Na fantasia de Lewis Carroll, Alice não está particularmente ansiosa para voltar para casa; pelo contrário, ela deseja explorar o território desconhecido e apropriar-se dele — desejo que culmina em sua coroação como rainha em *Através do Espelho*. Alice também não estabelece vínculos significativos com nenhum dos personagens com quem interage. Sua curiosidade voraz a torna imprudente, dispersa e, por vezes, um tanto insensível. Mais concentrada em sua experiência individual de espectadora em busca de protagonismo, falta-lhe a empatia necessária para a constituição de laços afetivos no mundo de fantasia. No entanto, é interessante notar que, embora Dorothy de fato se vincule aos seus companheiros de viagem, ela não hesita em deixá-los para trás. Enquanto Alice busca ativamente a experiência fantástica (seja correndo atrás do Coelho Branco ou atravessando o espelho) e só retorna à realidade por acidente, Dorothy experimenta o oposto: é levada para Oz à sua revelia, mas regressa por força consciente de sua vontade. Que o instrumento de seu transporte mágico seja um par de sapatos encantados parece a alegoria perfeita para uma personagem tão realista. Dorothy tem, de fato, os pés no chão.

O Mágico de Oz talvez tenha sido o maior investimento de Baum. A história, originalmente criada para entreter seus quatro filhos, foi ganhando contornos narrativos mais complexos com o passar dos anos. A mudança da família para o árido território da Dakota do Sul inspirou a estéril paisagem do seu Kansas ficcional. Uma pesquisa da sogra sobre a caça às bruxas no período colonial o levou a contrapor a caricatura das bruxas malvadas da tradição europeia dos contos de fada com bruxas "boas", que utilizam seus poderes para realizar desejos e não os frustrar. Vencendo o antigo medo de espantalhos que lhe perseguiu por toda a infância, Baum construiu um dos personagens mais carismáticos da trama. O temor da miséria, a desilusão com os rumos políticos do país, a expansão industrial e a constatação de que muitos heróis americanos não passavam de farsas — todos esses fatores foram transpostos para o universo da história. Em 1898, a morte da sobrinha de Maud, um bebê de cinco meses, abalou profundamente a família. Dois anos mais tarde, Baum a imortalizaria em sua obra. O nome da menina era Dorothy.

Embora a publicação de *Papai Ganso* em 1899 tenha consagrado Baum e Denslow como dupla de sucesso, nenhuma editora se interessou por Oz. A história de Baum, ricamente ilustrada por Denslow, foi rejeitada diversas vezes. Finalmente, os dois decidiram bancar a publicação do próprio bolso, uma aposta arriscada que, em caso de fracasso, poderia ter causado danos irreparáveis em suas economias. Com o aval de Maud, responsável pela vida financeira da família, Baum investiu literalmente em seu sonho e o resultado é o livro que vocês, leitores, agora têm em mãos: um conto de fadas que permanece tão mágico nos dias de hoje quanto o era quando Baum o narrava para seus filhos, há 120 anos.

L. Frank Baum morreu em Hollywood, em 1919, sonhando com o cinema. Nos seus últimos anos de vida, se dedicou à sua produtora, The Oz Film Manufacturing Company, escrevendo e produzindo filmes. Sua imaginação incansável deixou um legado impressionante de poemas, peças, contos, romances, roteiros, artigos, musicais, filmes e, é claro, catorze volumes sobre o reino de Oz. Sim, Baum morreu sonhando com o cinema, mas o cinema o trouxe de volta. Em 1939, a versão cinematográfica de *O Mágico de Oz*, dirigida por Victor Fleming, calcificou a narrativa de Baum para sempre em celuloide e, a despeito das incontáveis adaptações anteriores e posteriores, continua sendo a mais emblemática. Lançado três semanas antes da invasão da Alemanha à Polônia, que deu início à Segunda Guerra Mundial, em 1º de setembro, o filme da MGM convidaria uma nação abalada por uma década de crise e prestes a viver os horrores da guerra a percorrer novamente a estrada de tijolos amarelos, rumo a um lugar além do arco-íris onde ainda havia esperança e a promessa de um retorno seguro para casa.

Há quem diga que Frank Baum foi uma espécie de Walt Disney vitoriano. Para muitos, foi um visionário, cuja contribuição para a literatura infantil mudou para sempre a estrutura dos contos de fada, tornando-os menos anticolonialistas, moralistas e admonitórios. Sua afinidade com o pleito feminista é celebrada, sua infeliz colocação sobre o extermínio dos índios é motivo justo de repúdio. Alguns estudiosos de sua vida e obra preferem vê-lo como a personificação do Mágico de Oz: um homem bom, perdido em um reino de faz de conta, eternamente preso em sua própria imaginação. Para mim, ele é apenas o pai de Dorothy, a personagem com quem eu mais me identificava quando era pequena. A menina melancólica, esperta, curiosa e independente que entendeu desde muito cedo que percursos são mais importantes que chegadas e que o melhor caminho para a realização dos nossos sonhos é realizar os sonhos dos outros. Foi por isso que me tornei tradutora. E é para nunca perder isso de vista que tenho Dorothy tatuada no braço.

O Mágico de Oz era o filme que eu via todo ano com meus pais no dia 31 de dezembro, uma espécie de ritual familiar. Hoje, eles não estão mais aqui, mas eu estou: ouvindo Judy Garland no Spotify e me despedindo do Espantalho, do Homem de Lata e do meu tão querido Leão.

Pai, mãe, eu voltei para casa. E este Oz é para vocês.

Marcia Heloisa
Niterói, janeiro de 2020

— INTRODUÇÃO DO AUTOR —

Folclore, lendas, mitos e contos de fada acompanham a infância ao longo dos séculos, pois toda criança saudável possui um amor sadio e instintivo por histórias fantásticas, extraordinárias, claramente desvinculadas da realidade. As fadas aladas de Grimm e Andersen proporcionaram mais alegria aos corações juvenis do que qualquer outra criação humana.

Os antigos contos de fada, porém, tendo servido há muitas gerações, agora podem ser classificados como "históricos" nas bibliotecas infantis; é chegada a hora de uma série de novos "contos fantásticos" nos quais caricatos gênios, anões e fadas devem ser eliminados, assim como os terríveis incidentes de fazer congelar o sangue usados pelos autores para atribuir uma assustadora moral às narrativas. A educação moderna já contempla a instrução moral, de modo que as crianças da atualidade buscam apenas entretenimento nos contos fantásticos e dispensam de bom grado todos os incidentes desagradáveis.

Com isso em mente, a história de *O Mágico de Oz* foi escrita apenas para agradar às crianças. Quis criar uma versão moderna dos contos de fada, na qual fantasia e diversão continuam presentes — mas deixei as angústias e os pesadelos bem longe desse reino encantado.

L. Frank Baum
Chicago, abril de 1900

Para minha melhor amiga
e companheira, Maud

L.F.B.

OZ
CAPÍTULOS

- 01 • O CICLONE 20
- 02 • O ENCONTRO COM OS MUNCHKINS 28
- 03 • COMO DOROTHY SALVOU O ESPANTALHO 38
- 04 • A TRAVESSIA PELA FLORESTA 48
- 05 • O RESGATE DO HOMEM DE LATA 56
- 06 • O LEÃO COVARDE 66
- 07 • A VIAGEM RUMO AO GRANDE OZ 74
- 08 • O CAMPO MORTÍFERO DE PAPOULAS 84
- 09 • A RAINHA DOS RATOS DO CAMPO 96
- 10 • O GUARDIÃO DO PORTÃO 106
- 11 • A MARAVILHOSA CIDADE DE OZ 118
- 12 • EM BUSCA DA BRUXA MÁ 135
- 13 • O RESGATE 152
- 14 • OS MACACOS ALADOS 159
- 15 • A DESCOBERTA DE OZ, O TERRÍVEL 168
- 16 • A MÁGICA DO GRANDE CHARLATÃO 180
- 17 • O LANÇAMENTO DO BALÃO 186
- 18 • RUMO AO SUL 192
- 19 • O ATAQUE DAS ÁRVORES ATACADAS 200
- 20 • A DELICADA CIDADE DE PORCELANA 206
- 21 • O LEÃO SE TORNA O REI DA FLORESTA 216
- 22 • A TERRA DOS QUADLINGS 222
- 23 • GLINDA, A BRUXA BOA, REALIZA O DESEJO DE DOROTHY 228
- 24 • EM CASA 235

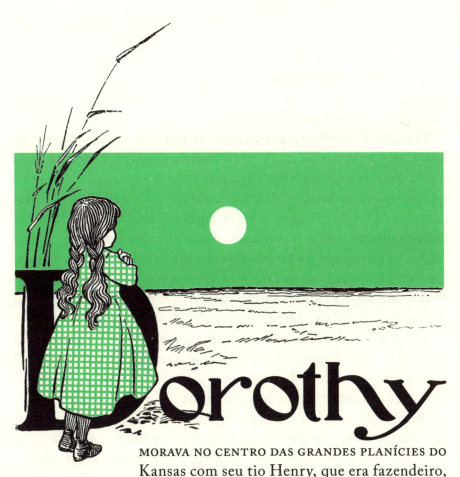

Dorothy

MORAVA NO CENTRO DAS GRANDES PLANÍCIES DO Kansas com seu tio Henry, que era fazendeiro, e sua tia Em, que era dona de casa. A casa era pequena, pois a madeira para construí-la precisara ser transportada pela carroça por muitos e muitos quilômetros. Havia quatro paredes, o piso e o telhado e apenas um único cômodo, com um fogão enferrujado, um armário para a louça, uma mesa, três ou quatro cadeiras e duas camas. Tio Henry e Tia Em tinham uma cama grande em um canto e Dorothy, uma cama pequenina em outro. Não havia nem sótão nem porão — apenas um abrigo em caso de ciclone: um pequeno buraco cavado no chão, onde a família podia se refugiar na eventualidade de um forte tornado, violento o bastante para destruir qualquer construção que encontrasse pela frente. A entrada para o abrigo dava-se por uma escotilha no meio do assoalho, por onde se alcançava o buraco estreito e escuro descendo uma escadinha.

Quando Dorothy ficava parada na porta de casa e olhava ao redor, não avistava nada além da imensa pradaria cinzenta. Não havia uma árvore ou uma casa em meio à esplanada desértica que se estendia à sua volta, alcançando o horizonte em todas direções. O sol castigara a terra lavrada, transformando-a em uma chapada cinza e ressequida. Nem a grama era verde, pois o sol havia queimado as pontas das lâminas alongadas até ficarem igualmente cinzentas. A casa fora um dia pintada, mas o sol provocara bolhas na tinta e as chuvas haviam desbotado a pintura, deixando-a pálida e cinza, como todo o resto.

Tia Em ainda era jovem e bonita quando foi morar naquela casa, mas o sol e o vento haviam transformado ela também. O brilho em seus olhos desaparecera e, em seu lugar, surgira um tom baço, assim como as faces e lábios, outrora rubros, haviam se convertido em cinza. Tornara-se uma mulher murcha e seca, que desaprendera a sorrir. Logo que Dorothy ficou órfã e foi entregue aos seus cuidados, tia Em se espantava tanto com a risada da criança que gritava, levando a mão ao peito sempre que a vozinha alegre da menina alcançava seus ouvidos. Mesmo passados muitos anos, ela ainda se admirava com a capacidade de Dorothy de conseguir achar graça em alguma coisa naquela vida.

Tio Henry nunca dava risada. Trabalhava arduamente, de manhã até a noite, e não sabia o que era alegria. Ele também era cinza, da barba comprida às botas gastas, tinha um ar sisudo e solene e era um homem de poucas palavras.

O que provocava risadas em Dorothy e a salvara de se tornar cinza como tudo ao seu redor era Totó. Totó não era cinza; era um cachorrinho preto de pelagem lustrosa e olhinhos pretos que faiscavam radiantes sobre seu focinho pequenino e engraçado.

"Resgatou Totó pela orelha."

Totó passava o dia inteiro brincando e Dorothy, que se divertia com suas brincadeiras, amava-o profundamente.

Naquele dia, porém, não estavam brincando. Tio Henry estava sentado na entrada da casa contemplando preocupado o céu, que estava mais cinzento do que de costume. Dorothy, parada na porta com Totó no colo, olhava para o céu também. Tia Em lavava a louça.

Ouviram o gemido longínquo do vento que soprava à distância, ao norte, e tio Henry e Dorothy repararam que a grama se inclinava, anunciando a tempestade vindoura. De repente, um vento sibilante vindo do sul chegou até eles e, ao olharem para trás, viram que a relva estava sendo igualmente fustigada naquela direção.

Tio Henry pôs-se depressa de pé.

"Um ciclone está se aproximando, Em", gritou para sua mulher. "Vou dar uma olhada no gado." Assim, saiu correndo até o estábulo, onde ficavam as vacas e os cavalos.

Tia Em interrompeu o serviço e avançou até a porta. Bastou uma olhadela para compreender que estavam correndo perigo.

"Rápido, Dorothy!", gritou ela. "Corra para o abrigo!"

Totó pulou do colo de Dorothy e se escondeu debaixo da cama. A menina foi atrás dele. Tia Em, apavorada, abriu a escotilha e desceu pela escadinha até o buraco estreito e escuro. Dorothy finalmente conseguiu apanhar Totó e estava se dirigindo ao abrigo, onde estava sua tia. No meio do caminho, o vento rugiu estridente e sacudiu a casa com tamanha violência que a menina perdeu o equilíbrio e caiu estatelada no chão.

Então, algo estranho aconteceu.

A casa rodopiou duas ou três vezes e se ergueu lentamente em pleno ar. Dorothy sentiu como se estivesse alçando voo em um balão.

Os ventos do norte e do sul colidiram no ponto onde estava a casa, tornando-a o núcleo exato do ciclone. O ar geralmente fica parado no meio de um ciclone, mas a pressão exacerbada do vento em todos os cantos da casa a ergueram nas alturas, até alcançar o topo do ciclone. Lá ela permaneceu, carregada por longos quilômetros como se fosse uma pluma.

Estava muito escuro e o vento uivava terrivelmente ao seu redor, mas Dorothy estava sendo carregada sem sobressaltos. Após os primeiros rodopios — com exceção de um momento em que a casa ficou bastante inclinada — sentia como se fosse embalada, igual a um bebê no berço.

Totó não estava gostando nada de tudo aquilo. Correndo de um lado para o outro, latia alto. Dorothy permanecia quieta, sentada no chão, esperando para ver o que ia acontecer.

Em um determinado momento, Totó se aproximou demais da escotilha e caiu. Dorothy chegou a pensar que o tinha perdido para sempre. Mas logo viu uma de suas orelhas despontando pelo buraco; a forte pressão do ar o mantinha suspenso, de modo que não podia cair. Arrastando-se até o buraco, resgatou Totó pela orelha e o puxou de volta para dentro; fechou a escotilha em seguida, para evitar futuros acidentes.

As horas foram passando e, aos poucos, Dorothy foi perdendo o medo, embora ainda se sentisse muito só e estivesse ficando surda com o barulho estridente do vento. No início, teve receio de se espatifar toda quando a casa voltasse ao chão; mas, visto que o tempo passava sem que nada terrível acontecesse, parou de se preocupar e decidiu esperar calmamente pelo que o futuro reservava para ela. Por fim, esgueirou-se de gatinhas pelo chão rodopiante até sua cama e se deitou. Totó, seguindo-a, e depressa se acomodou ao seu lado.

Apesar do balanço da casa e do barulho do vento, Dorothy fechou os olhos logo e dormiu pesadamente.

OZ
Capítulo II.
O encontro com os Munchkins

Dorothy

foi despertada por um impacto tão repentino e brutal que, se não estivesse deitada no colchão macio, poderia ter se machucado de verdade. Como estava, a queda apenas a deixou assustada, tentando compreender o que tinha acontecido. Totó encostou o focinho gelado no rosto da menina, ganindo aflito. Erguendo-se na cama, Dorothy notou que a casa estava parada e a escuridão se dissipara: o sol reluzia pela janela, inundando o ambiente de luz. Levantando-se, correu com Totó logo atrás e abriu a porta.

Com um gritinho de euforia, Dorothy olhou à sua volta, arregalando cada vez mais os olhos à medida que descobria uma paisagem deslumbrante.

O ciclone aterrissara a casa com muita delicadeza — para um ciclone — no meio de uma região de extraordinária beleza. Havia adoráveis campos relvados, com árvores imponentes carregadas de frutas suculentas e apetitosas, leitos de flores exuberantes e pássaros com incomuns e fulgurantes plumagens cantarolavam, adejando entre as árvores e os arbustos. Mais adiante, via-se um pequeno córrego, cujas águas cintilantes corriam entre verdes margens em um sussurro encantador para uma menina que nunca vira nada além de pradarias áridas e cinzentas.

Estava admirando a paisagem exótica e bela quando percebeu, vindo em sua direção, o grupo mais esquisito que já vira na vida. Não eram altos como os adultos que ela conhecia, mas também não eram muito pequenos. Na verdade, pareciam ser mais ou menos da mesma altura de Dorothy, que era uma menina alta para sua idade, embora aparentassem ser muito mais velhos.

O grupo era composto por três homens e uma mulher, todos com trajes estranhos. Usavam chapéus redondos que se erguiam cerca de trinta centímetros acima das cabeças, com sininhos pendurados em toda a extensão da aba. Os sininhos repicavam docemente enquanto se aproximavam. Os homens usavam chapéus azuis, mas o chapéu da mulher era branco, assim como seu vestido, pregueado na altura dos ombros. O tecido era todo salpicado de estrelinhas que fulguravam sob o sol como diamantes. O traje dos homens era azul, do mesmo tom dos chapéus, e eles calçavam botas bem engraxadas, com acabamento igualmente azul. Dorothy supôs que os homens fossem velhos como o tio Henry, pois dois eram barbudos. Mas a diminuta mulher sem dúvida era bem mais idosa. Tinha o rosto enrugado, o cabelo praticamente todo branco e caminhava com dificuldade.

Quando chegaram perto de onde Dorothy estava, na porta de casa, estacaram por um instante e confabularam, como receassem se aproximar mais. A senhorinha idosa caminhou então até Dorothy, fez uma reverência e disse, com doçura na voz:

"Seja bem-vinda, nobre feiticeira, à terra dos Munchkins. Estamos muito gratos por você ter matado a Bruxa Má do Leste e libertado nosso povo da escravidão."

"Sou a Bruxa do Norte."

Dorothy ouviu estupefata aquela saudação. O que a velhinha queria dizer ao chamá-la de feiticeira e anunciar que matara uma tal Bruxa Má do Leste? Ora, Dorothy não passava de uma garotinha inofensiva, que fora carregada por um ciclone para quilômetros e mais quilômetros de distância da sua terra e jamais matara nenhuma criatura em sua vida.

Mas a velhinha evidentemente aguardava alguma resposta, de modo que Dorothy retrucou, com hesitação:

"A senhora é muito gentil, mas deve haver algum engano. Eu não matei ninguém, não."

"Pode ser, mas sua casa matou", explicou a senhora, rindo, "o que, no fim das contas, dá no mesmo. Veja!", continuou, apontando para o canto da casa. "Olhe os pés dela ali de fora, embaixo do bloco de madeira."

Dorothy olhou para a direção apontada e gritou assustada. De fato, escapando da viga que sustentava a construção, havia dois pés salientes, calçados com sapatos prateados de bico fino.

"Meu Deus do céu!", exclamou Dorothy, apertando as mãos, arrasada. "A casa deve ter despencado em cima dela. O que vamos fazer?"

"Não há nada a ser feito", respondeu a senhora, muito calma.

"Mas quem era ela?", indagou Dorothy.

"Era a Bruxa Má do Leste, como já disse", respondeu a senhora. "Ela escravizava os Munchkins há muitos anos, obrigando-os a trabalhar para ela dia e noite, sem cessar. Agora estão livres e gratos a você por esse favor."

"Quem são os Munchkins?", perguntou Dorothy.

"São os habitantes desta região Leste, onde reinava a Bruxa Má."

"A senhora é uma Munchkin?", quis saber Dorothy.

"Não, mas sou amiga deles, embora more ao Norte. Quando viram a Bruxa Má do Leste morta, os Munchkins mandaram me chamar e vim imediatamente. Sou a Bruxa do Norte."

"Puxa!", exclamou Dorothy. "A senhora é uma bruxa de verdade?"

"Sou, sim", respondeu. "Mas uma bruxa boa, querida pelo povo. Não sou tão poderosa quanto a Bruxa Má que reinava nestas paragens, do contrário, teria eu mesma libertado os Munchkins da escravidão."

"Mas pensei que todas as bruxas fossem más", disse a menina, um pouco assustada por estar na presença de uma bruxa de verdade.

"Ah, não, isso é um grande erro. Existiam apenas quatro bruxas no Reino de Oz[1] e duas delas, as que moram ao Norte e ao Sul, são bruxas boas. Posso garantir, pois sou uma delas. As que moravam no Leste e no Oeste eram, de fato, bruxas malvadas, mas agora que você matou uma delas, há apenas uma única Bruxa Má em todo Reino de Oz: a do Oeste."

"Mas", disse Dorothy após um instante de reflexão, "tia Em sempre me disse que as bruxas já estavam mortas há muitos e muitos anos."

"Quem é tia Em?", perguntou a senhora.

"É minha tia, ela mora no Kansas, de onde vim."

A Bruxa do Norte refletiu um pouco, com a cabeça inclinada e os olhos baixos. Então, levantou a cabeça e disse:

"Não sei onde fica o Kansas, nunca ouvi o nome desse país antes. Mas, diga-me, é um país civilizado?"

"Ah, sim", respondeu Dorothy.

"Então é por isso. Nos países civilizados, creio que não existam mais bruxas, magos, feiticeiras e mágicos. Mas o Reino de Oz não foi civilizado, pois estamos muito afastados do resto do mundo. Por isso, ainda temos bruxas e mágicos entre nós."

"Quem são os mágicos?", perguntou Dorothy.

1 Baum relatou que o nome Oz lhe ocorreu ao olhar a última gaveta de seu arquivo, correspondente às letras de O a Z.

"O próprio Oz é um Grande Mágico", sussurrou a Bruxa, abaixando a voz. "Ele é mais poderoso do que todos nós juntos e mora na Cidade de Esmeraldas."[2]

Dorothy estava prestes a fazer outra pergunta, mas os Munchkins, até então em silêncio, gritaram de repente, apontando para o canto da casa onde jazia a Bruxa Má.

"O que foi?", perguntou a senhora e, ao olhar, começou a rir. Os pés da Bruxa morta haviam desaparecido por completo e tudo que restava eram os sapatos de prata.

"Era tão velha", explicou a Bruxa do Norte, "que ressecou depressa ao sol, evaporou-se. Mas os Sapatos de Prata[3] são seus, pode usá-los." Ela apanhou os

2 "Cidade de Esmeraldas" chegou a ser o título provisório do romance, mas uma superstição da época desaconselhava seus autores a usar nomes de joias nos títulos.

3 Na versão cinematográfica de 1939, dirigida por Victor Fleming, os sapatos mudaram de cor e passaram a ser vermelhos, para melhor aproveitamento do tecnicolor.

sapatos do chão e, após algumas batidinhas para remover a poeira, entregou-os a Dorothy.

"A Bruxa do Leste era muito afeiçoada a esses Sapatos de Prata", comentou um dos Munchkins, "eles têm algum encantamento, mas nunca descobrimos qual."

Dorothy levou os sapatos para dentro de casa e os colocou sobre a mesa. Depois, retornou até os Munchkins e disse:

"Não vejo a hora de voltar para meus tios, pois tenho certeza de que vão ficar preocupadíssimos comigo. Vocês podem me ajudar a encontrar o caminho para casa?"

Os Munchkins e a Bruxa se entreolharam, fitaram Dorothy e depois fizeram um gesto negativo com a cabeça.

"Ao leste, não muito distante daqui", disse um deles, "há um vasto deserto e ninguém jamais conseguiu atravessá-lo."

"Ao sul também", disse o outro, "pois estive lá e o vi. O Sul é o reino dos Quadlings."

"Fiquei sabendo", disse um terceiro, "que ao oeste também. É lá que vivem os Winkies, governados pela Bruxa Má do Oeste,[4] e se você cruzar o caminho dela, será capturada e escravizada."

"Eu moro ao Norte", disse a senhora, "e o imenso deserto que circunda todo o Reino de Oz estende-se em nossas fronteiras. Receio, minha querida, que vá ter que morar conosco daqui para a frente."

---

4   Em 1995, a Bruxa Má do Oeste ganhou status de protagonista no romance de Gregory Maguire, *Wicked: The Life and Times of the Wicked Witch of the West* [*Wicked: A História Não Contada das Bruxas de Oz*], que deu origem ao musical da Broadway *Wicked* em 2005. No romance e no musical, a Bruxa Má do Oeste se chama Elphaba, nome inspirado na pronúncia fonética das iniciais de L. Frank Baum (LFB = ɛlfəbə).

Ao ouvir isso, Dorothy pôs-se a chorar, pois se sentia muito só em meio àquelas pessoas esquisitas. Aparentemente, suas lágrimas comoveram os bondosos Munchkins, pois logo sacaram seus lencinhos e começaram a chorar com ela. A senhora removeu seu chapéu e equilibrou-o na ponta do nariz enquanto contava até três em uma voz solene. O chapéu então se transformou em uma lousa, na qual se lia, em letras grandes escritas à giz:

DEIXE DOROTHY IR PARA
A CIDADE DE ESMERALDAS

A Bruxa tirou a lousa do nariz e, após ler o que estava escrito, perguntou:

"Seu nome é Dorothy, meu bem?"

"É", respondeu a menina, erguendo a cabeça e secando as lágrimas.

"Então deve ir para a Cidade de Esmeraldas. Talvez Oz possa ajudá-la."

"Onde fica essa cidade?", perguntou Dorothy.

"Exatamente no coração do Reino e é governada por Oz, o Grande Mágico de quem falei."

"Ele é um homem bom?", indagou a menina, temerosa.

"Ele é um bom mágico. Se é um homem ou não, não sei dizer, pois nunca o vi."

"E como faço para chegar até lá?"

"Deve ir caminhando. É uma longa jornada, por uma região por vezes agradável, e às vezes, escura e terrível. Mas vou lançar mão de todas as magias que conheço para protegê-la."

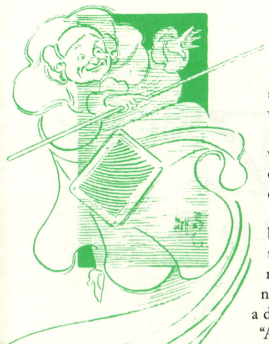

"A senhora não pode ir comigo?", suplicou a menina, que começara a ver a Bruxa como sua única amiga.

"Não, não posso", respondeu, "mas vou te dar um beijo e ninguém vai ousar ferir alguém beijado pela Bruxa do Norte."

Aproximando-se de Dorothy, a bruxa a beijou delicadamente na testa. Seus lábios deixaram uma marquinha redonda e cintilante na pele da menina, como ela veio a descobrir depois.

"A estrada para a Cidade de Esmeraldas é toda revestida por tijolos amarelos", disse a Bruxa, "não tem como se confundir. Quando encontrar Oz, não tenha medo dele: conte sua história e peça que a ajude. Adeus, minha querida."

Os três Munchkins fizeram uma reverência e desejaram boa viagem a menina, indo embora em seguida por entre as árvores. A Bruxa acenou simpática para Dorothy, rodopiou sobre o calcanhar esquerdo três vezes e desapareceu por completo, para o espanto de Totó, que se pôs a latir vigorosamente após ela sumir, pois tivera medo de latir em sua presença.

Dorothy, por sua vez, sabendo que se tratava de uma bruxa, já esperava que desaparecesse em pleno ar e não ficou nem um pouquinho surpresa.

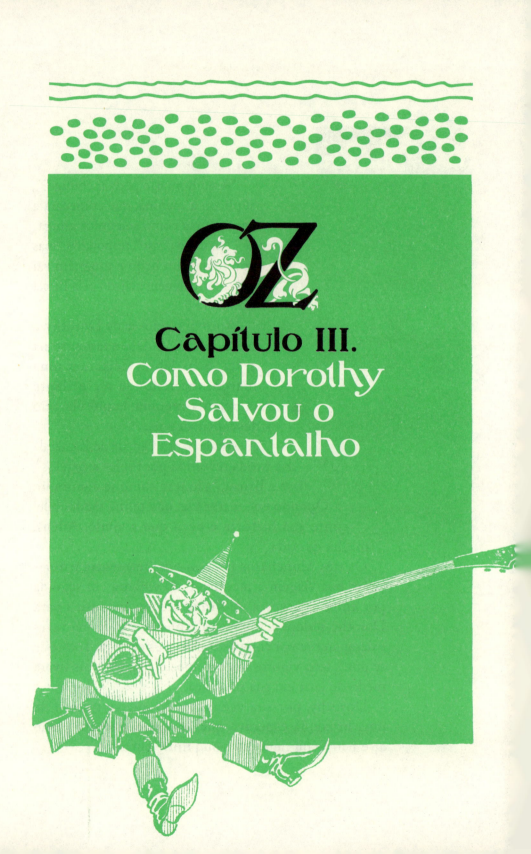

OZ

Capítulo III.
Como Dorothy Salvou o Espantalho

Sozinha,

Dorothy percebeu que estava ficando com fome. Foi até o armário, fatiou um pão e passou manteiga. Deu um pedaço para Totó também e, apanhando um balde das prateleiras, foi até o córrego enchê-lo com água fresca e cristalina. Totó correu entre as árvores, latindo para os pássaros empoleirados nelas. Indo atrás dele, Dorothy viu tantas frutas deliciosas pendendo dos galhos que decidiu colher algumas, para incrementar um pouco mais seu café da manhã.

Em seguida, voltou para casa e, após servir bastante água fresquinha para ela e para Totó, começou a se preparar para a jornada até a Cidade de Esmeraldas.

Dorothy só tinha mais um vestido, que por sorte estava limpo e pendurado no cabide ao lado da sua cama. Era um vestido xadrez de algodão, branco e azul, embora os quadradinhos azuis já estivessem desbotados depois de tantas lavagens. Ainda assim, era um vestido bem bonito. A menina se banhou direitinho e colocou a roupa limpa de algodão, e também um chapéu rosa para se proteger do sol. Apanhou uma pequena cesta, colocou nela o que havia sobrado do pão e a cobriu com um pano branco. Foi então que, olhando para os pés, reparou como seus sapatos estavam velhos e gastos.

"Com certeza não vão aguentar uma viagem tão longa, Totó", disse. O cão a fitou com seus olhinhos muito pretos e balançou o rabo, para mostrar que compreendia o que ela queria dizer.

Foi então que Dorothy viu na mesa os Sapatos de Prata da Bruxa Má do Leste.

"Será que cabem no meu pé?", perguntou a Totó. "Seriam perfeitos para uma viagem longa, pois nunca ficariam gastos."

Tirando os velhos calçados de couro, ela experimentou os Sapatos de Prata, que serviram tão bem como se feitos sob medida para seus pés.

Por fim, apanhou a cestinha.

"Vamos, Totó", disse. "Vamos para a Cidade de Esmeraldas pedir ao Grande Oz que nos ajude a voltar para o Kansas."

Ela fechou e trancou a porta, e depois guardou a chave com cuidado no bolso do vestido. Em seguida, com Totó a acompanhando muito solene, Dorothy partiu em sua jornada.

Deparou-se com diversas estradas nos arredores, mas logo encontrou a de tijolos amarelos. Sem perder tempo, pôs-se a caminhar vigorosamente rumo à Cidade de Esmeraldas, fazendo tilintar os Sapatos de Prata na estrada amarela. O sol brilhava no céu, os pássaros entoavam doces melodias e Dorothy não se sentia mal como era de esperar que se sentisse uma garotinha arremessada de repente do seu país para o meio de um reino desconhecido.

Ficou admirada ao perceber, enquanto caminhava, a beleza da região ao seu redor. A estrada era ladeada por cercas impecáveis, pintadas num delicado tom de azul, e para além delas descortinavam-se campos férteis de grãos e vegetais. Era evidente que os Munchkins eram excelentes fazendeiros, capazes de cultivar vastas colheitas. Vez ou outra, passava por uma casa e as pessoas saíam para vê-la, curvando-se em respeitosas reverências enquanto ela caminhava. Todos já sabiam que fora Dorothy a responsável pela destruição da Bruxa Má, libertando-os assim da escravidão. As casas dos Munchkins eram construções peculiares: redondas de teto abobadado. Eram todas pintadas de azul, a cor predileta da região do Leste.

Já anoitecia quando Dorothy, exausta da longa caminhada e sem saber onde ia passar a noite, avistou uma casa muito maior do que as demais. No gramado verdinho diante da casa, um grupo de homens e mulheres estavam dançando. Cinco pequeninos violinistas tocavam estridentemente e os convivas riam e cantavam ao lado de uma grande mesa abastecida com deliciosas frutas, nozes, tortas, bolos e muitas outras gostosuras.

Todos cumprimentaram Dorothy com gentileza, convidando-a a cear e a passar a noite com eles. O dono da casa era o Munchkin mais rico da região, que chamara seus amigos para comemorar a libertação de seu povo do jugo da Bruxa Má.

Dorothy ceou lautamente; o abastado Munchkin, que se chamava Boq, fez questão de servi-la ele próprio. Depois, acomodando-se no sofá, ficou admirando a dança dos convidados.

Ao ver seus Sapatos de Prata, Boq comentou:

"Você deve ser uma grande feiticeira."

"Por quê?", indagou a menina.

"Porque está usando Sapatos de Prata e matou a Bruxa Má. E também por vestir branco; somente as bruxas e as feiticeiras usam vestidos brancos."

"Meu vestido é quadriculado, azul e branco", corrigiu Dorothy, alisando o tecido.

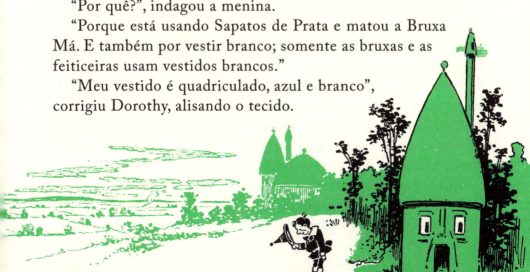

"É muito gentil de sua parte usá-lo", disse Boq. "O azul é a cor dos Munchkins e o branco, a das feiticeiras. Assim sabemos que é uma feiticeira do bem."

Dorothy não soube o que responder, pois embora todos a tomassem por bruxa, ela sabia muito bem que não passava de uma garota comum, lançada acidentalmente em um reino estrangeiro por causa de um ciclone.

Quando cansou de ver a dança, Boq a conduziu até a casa, onde providenciou um quarto com uma linda cama e lençóis azuis. Dorothy dormiu até o raiar do dia, com Totó bem acomodado no tapete azul ao seu lado.

Depois de tomar um farto café da manhã, Dorothy divertiu-se observando um bebezinho Munchkin brincar com Totó, puxando seu rabo e dando muitas risadas. Totó despertara a curiosidade de todos, pois nunca tinham visto um cachorro.

"A Cidade de Esmeraldas fica muito longe?", perguntou a menina.

"Não saberia dizer", respondeu Boq, muito sério, "pois nunca estive lá. É mais prudente ficar longe de Oz, a não ser que se tenha algum assunto a tratar com ele. Sei apenas que é uma longa caminhada, de vários dias. A região aqui é exuberante e agradável, mas para chegar lá, você terá que atravessar lugares inóspitos e perigosos."

Aquilo deixou Dorothy um pouquinho preocupada, mas ela sabia que somente o Grande Oz poderia ajudá-la a voltar para o Kansas e decidiu, corajosa, que não ia desistir.

Sendo assim, despediu-se de seus amigos e retomou a jornada pela estrada de tijolos amarelos. Depois de ter caminhado por vários quilômetros, resolveu parar um pouco para descansar e sentou-se em uma cerca. Atrás da cerca, havia um vasto milharal e, não muito longe, Dorothy avistou um Espantalho, fincado em uma estaca comprida para afugentar os pássaros do milho maduro.

Apoiando o queixo em uma das mãos, Dorothy fitou o Espantalho, pensativa. A cabeça dele fora feita com um pequeno saco

"Você deve ser uma grande feiticeira."

estofado com palha, onde haviam pintado olhos, nariz e boca para dar-lhe um rosto. No alto da cabeça, equilibrava-se um velho chapéu azul pontiagudo, que decerto pertencera a algum Munchkin, e trajava roupas azuis gastas e desbotadas, também estofadas com palha. Nos pés, trazia as mesmas botas com acabamento azul que Dorothy vira em todos os homens da região. Estava suspenso acima do milharal por uma estaca presa às costas.

Dorothy olhava fixamente para o curioso rosto pintado do Espantalho quando, para sua surpresa, um dos olhos piscou para ela. Primeiro achou que não passava de uma impressão enganosa, pois nenhum espantalho no Kansas piscava os olhos, mas logo depois o boneco a cumprimentou, amistoso, acenando a cabeça. Dorothy desceu da cerca e caminhou na direção dele, enquanto Totó circulava a estaca, latindo sem parar.

"Bom dia", disse o Espantalho, com a voz um pouco rouca.

"Você fala!", exclamou a menina, admirada.

"Claro", retrucou o Espantalho. "Como está passando?"

"Estou muito bem, obrigada", respondeu Dorothy, cortês. "E você?"

"Não estou muito bem", confessou o Espantalho, com um sorriso, "pois é muito entediante permanecer fincado aqui dia e noite para espantar os corvos."

"Você não pode descer?"

"Não, pois a estaca está presa nas minhas costas. Eu lhe agradeceria imensamente se pudesse me soltar daqui, por gentileza."

Levantando os braços, Dorothy ergueu o Espantalho e o soltou; por ser de palha, não pesava quase nada.

"Muito obrigado", agradeceu o Espantalho quando ela o colocou no chão. "Estou me sentindo um novo homem."

Dorothy ficou desconcertada, pois era estranho ouvir um homem de palha falando, vê-lo cumprimentá-la com uma reverência e pôr-se a caminhar ao lado dela.

"Quem é você?", perguntou o Espantalho, após se alongar, bocejando. "E para onde está indo?"

"Meu nome é Dorothy", respondeu a menina, "e estou indo para a Cidade de Esmeraldas, pedir ao Grande Oz que me mande de volta para o Kansas."

"Onde fica a Cidade de Esmeraldas?", quis saber ele. "E quem é Oz?"

"Ué, você não sabe?", indagou surpresa.

"Não, não sei nada. É que, sendo feito de palha, não tenho cérebro", respondeu ele, muito triste.

"Ah…", disse Dorothy. "Sinto muito, de verdade".

"Você acha que se eu te acompanhasse até a Cidade de Esmeraldas, Oz me daria um cérebro?"

"Isso eu não sei", respondeu ela, "mas você pode vir comigo, se quiser. Ainda que Oz não lhe dê um cérebro, pior do que está agora, você não vai ficar".

"Verdade", disse o Espantalho. "Sabe", confidenciou, "não me incomodo de ter pernas, braços e tronco de palha, pois nada pode me machucar. Se alguém pisar no meu pé ou me furar com um alfinete, não tem problema, não sinto nada. Mas não quero ser chamado de burro e, se minha cabeça continuar recheada de palha em vez de miolos, como a sua, como é que vou aprender alguma coisa?"

"Entendo como se sente", disse a menina, sinceramente compadecida. "Se vier comigo, vou pedir a Oz que faça tudo que puder por você."

"Obrigado", disse ele, agradecido.

Caminharam em direção à estrada de tijolos amarelos. Dorothy o ajudou a ultrapassar a cerca e partiram juntos rumo à Cidade de Esmeraldas.

No início, Totó não gostou muito do novo companheiro. Farejou o Espantalho como se desconfiasse de que havia um ninho de ratos em sua palha, rosnando de modo hostil para ele.

"Não tenha medo de Totó", disse Dorothy para seu novo amigo. "Ele nunca morde."

"Ah, não tenho, não", retrucou o Espantalho. "Ele não pode machucar a palha. Deixe-me carregar essa cesta para você. Não me importo, pois não me canso nunca. Vou lhe contar um segredo", prosseguiu ele, enquanto caminhavam. "Só existe uma coisa no mundo da qual tenho medo."

"E o que é?", perguntou Dorothy. "Do fazendeiro Munchkin que o empalhou?"

"Não", respondeu o Espantalho. "De um fósforo aceso."

"Dorothy fitou o Espantalho, pensativa."

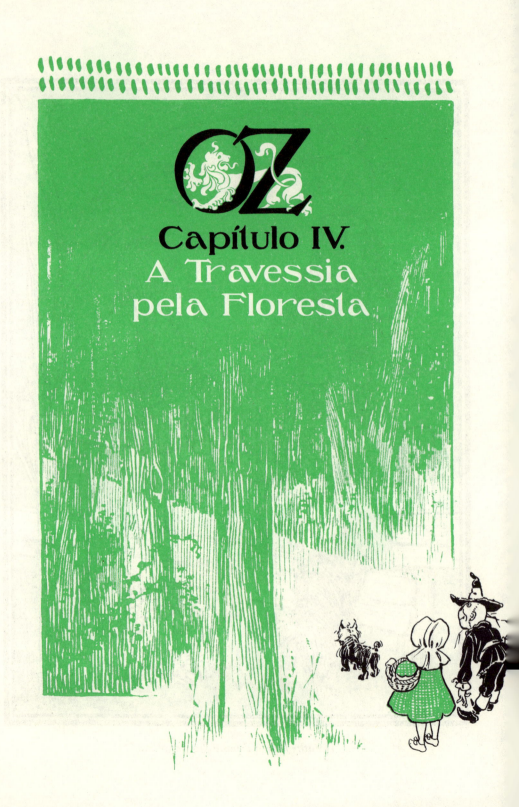

OZ
Capítulo IV.
A Travessia pela Floresta

Após algumas horas, a estrada começou a ficar ruim, dificultando tanto a caminhada que o Espantalho tropeçava o tempo todo nos tijolos amarelos, bastante irregulares naquele trecho: ou quebrados ou faltando, deixando buracos dos quais Totó pulava e Dorothy contornava para não se machucar. Já o Espantalho, por não ter cérebro, seguia reto e pisava bem em cima dos buracos e caía no chão. Não se machucava, porém; Dorothy o ajudava a se levantar e o colocava de pé novamente, enquanto ele ria com ela do seu percalço.

As fazendas naquela área não eram tão bem cuidadas quanto as dos lugares por onde já haviam passado. As casas eram escassas, bem como as árvores frutíferas, e, quanto mais avançavam, mais sombrio e desértico ficava o caminho.

Por volta de meio-dia, sentaram à beira da estrada, perto de um pequeno córrego, e Dorothy abriu a cestinha e pegou o pão. Ofereceu um pedaço ao Espantalho, mas ele recusou.

"Nunca tenho fome", explicou, "o que é uma sorte e tanto, pois minha boca é apenas pintada e, se eu tivesse que fazer um buraco nela para comer, a palha ia escapar, deformando o formato do meu crânio."

Dorothy, constatando o fato, assentiu com a cabeça e continuou o seu lanche.

"Conte-me sobre você e o país de onde veio", pediu o Espantalho, quando ela terminou de comer. Então ela contou do Kansas: como tudo lá era cinzento e como o ciclone a carregara para o estranho Reino de Oz.

O Espantalho ouviu atentamente e depois disse:

"Não consigo entender porque você quer deixar esse lugar esplêndido e voltar para a terra árida e cinzenta que chama de Kansas."

"É porque você não tem cérebro", respondeu a menina. "Por mais sombria e cinzenta que seja nossa casa, nós, de carne e osso, a preferimos a qualquer outro lugar no mundo, por mais esplêndido que seja. Não há melhor lugar do que a nossa casa."

O Espantalho suspirou.

"É claro que não consigo entender", disse. "Se vocês tivessem palha na cabeça, como eu, provavelmente morariam em lugares esplêndidos e o Kansas não passaria de um deserto. Vocês terem cérebro é uma baita sorte para o Kansas."

"Não quer me contar uma história, enquanto descansamos um pouco?", pediu a menina.

O Espantalho a fitou envergonhado e disse:

"Minha vida é tão curta que não sei nada de nada. Fui feito anteontem apenas, e desconheço o que se passou no mundo antes desse período. Por sorte, quando o fazendeiro fez minha cabeça, uma das primeiras coisas que pintou foram minhas orelhas, então

"Fui feito anteontem", disse o Espantalho

pude ouvir tudo que estava acontecendo. Havia um outro Munchkin com ele e a primeira coisa que ouvi foi o fazendeiro dizendo: 'E então, que tal essas orelhas?'.

"'Estão tortas', respondeu o Munchkin.

"'Não tem problema', disse o fazendeiro. 'O que importa é que são orelhas', o que era bem verdade.

"'Agora vou fazer os olhos', anunciou o fazendeiro. Então ele pintou meu olho direito e assim que terminou, olhei pare ele e para os arredores com muita curiosidade, pois era meu primeiro contato com o mundo.

"'Ficou um olho bem bonito', comentou o Munchkin, que estava observando o fazendeiro. 'Não tem tinta melhor para os olhos do que a azul.'

"'Acho que vou fazer o outro um pouco maior', disse o fazendeiro. E quando o segundo olho ficou pronto, eu podia enxergar ainda melhor. Então ele pintou meu nariz e minha boca. Mas não falei nada, porque na época não sabia para que servia a boca. Foi divertido vê-los fazendo meu corpo, meus braços e minhas pernas; e, quando finalmente prenderam minha cabeça no tronco, fiquei muito orgulhoso, pois achei que fosse um homem como qualquer outro.

"'Esse sujeito vai espantar os corvos depressa', disse o fazendeiro. 'Está igualzinho a um homem.'

"'Ora, ele é um homem', retrucou o outro, no que concordei. O fazendeiro me levou debaixo do braço até o milharal e me prendeu na estaca comprida, onde você me encontrou. Ele e o amigo logo partiram, me deixando sozinho.

"Não gostei de ser abandonado daquele jeito, então tentei ir atrás deles. Mas meus pés não alcançavam o chão e fui obrigado a ficar na estaca. Ia ser uma vida solitária, pois eu não tinha nada para pensar, tendo sido feito há tão pouco tempo. Muitos corvos e outros pássaros voaram pelo milharal, mas assim que me viam, fugiam, pensando que eu era um Munchkin. Aquilo me agradou e fez com que me sentisse uma pessoa muito importante. Até que um velho corvo se aproximou e, após me examinar cuidadosamente, empoleirou-se no meu ombro e disse:

"'Aquele fazendeiro achou que poderia me tapear assim? Qualquer corvo com discernimento pode ver que você é feito de palha.'

"Voando até meus pés, ele comeu o milho à vontade. Os outros pássaros, vendo que eu não me mexia, juntaram-se ao velho corvo e logo, logo pousaram todos ao meu redor.

"Aquilo me entristeceu, pois mostrou que eu não era um bom Espantalho, afinal; mas o velho corvo me consolou, dizendo: 'Se você tivesse um

cérebro, seria tão bom quanto qualquer homem, até melhor do que muitos deles. A coisa mais valiosa deste mundo é um cérebro, seja você um corvo ou um homem'.

"Depois que os corvos partiram, fiquei pensando no assunto e decidi que ia me empenhar para conseguir um cérebro. Por sorte, você apareceu e me tirou daquela estaca e, pelo que me disse, tenho certeza de que o Grande Oz vai me dar um cérebro assim que chegarmos à Cidade de Esmeraldas."

"Espero que sim", disse Dorothy, sincera, "já que você parece tanto querer um."

"Ah, se quero", retrucou o Espantalho. "É muito desconfortável saber que se é estúpido."

"Bem", disse a menina entregando a cesta para o Espantalho, "vamos."

Não havia mais cercas pela estrada e a área ao redor era seca e sem plantações. Ao anoitecer, chegaram a uma vasta floresta, onde as árvores eram tão altas e próximas que os galhos se emaranhavam sobre a estrada de tijolos amarelos, tapando a luz do sol e escurecendo o caminho. Os viajantes, porém, não se detiveram e adentraram a floresta.

"Se a estrada vai floresta adentro, uma hora deve sair", disse o Espantalho, "e como a Cidade de Esmeraldas fica do outro lado, temos que seguir caminho por aqui mesmo."

"É óbvio", respondeu Dorothy.

"Sim, por isso que eu sei", retrucou o Espantalho. "Se não fosse óbvio e precisasse de cérebro, eu não teria chegado a essa conclusão."

Após mais ou menos uma hora de caminhada, a luz desapareceu por completo e eles se viram avançando aos tropeços, imersos na escuridão. Dorothy não enxergava mais nada, mas Totó, sim, pois alguns cães enxergam bem no escuro. Já o Espantalho dissera estar enxergando tão bem quanto de dia. Então ela lhe deu o braço e juntos prosseguiram razoavelmente bem.

"Se você vir uma casa ou qualquer outro lugar onde possamos passar a noite, me avise", disse a menina. "É muito desconfortável andar assim, no escuro."

Um pouco depois, o Espantalho parou.

"Estou vendo um pequeno chalé, à nossa direita", disse, "construído com troncos e galhos. Vamos até lá?"

"Vamos", respondeu Dorothy, "estou exausta."

O Espantalho a conduziu pelas árvores até alcançarem o chalé. Ao entrar, Dorothy encontrou uma cama feita com folhas secas em um dos cantos e logo se deitou. Com Totó ao lado, caiu depressa em um sono pesado. O Espantalho, que não se cansava nunca, acomodou-se no outro canto e esperou, pacientemente, até o amanhecer.

OZ
Capítulo V.
O Resgate do Homem de Lata

Quando

Dorothy acordou, o sol já brilhava entre as árvores e Totó há muito a deixara, para correr atrás de pássaros e esquilos. Sentando-se, olhou ao redor e viu o Espantalho, ainda esperando pacientemente por ela.

"Precisamos procurar água", disse ela.

"Para que você quer água?"

"Para lavar meu rosto e tirar a poeira da estrada. E para beber também, ou vou ficar entalada com o pão seco."

"Deve ser tão inconveniente ser de carne e osso", ponderou o Espantalho, pensativo. "Vocês precisam dormir, comer, beber… Mas, por outro lado, vocês têm cérebro, e poder pensar direito certamente faz qualquer incômodo valer a pena."

Saíram do chalé e caminharam entre as árvores até encontrarem uma fonte de água limpa. Dorothy bebeu água, se lavou e aproveitou para fazer seu desjejum. Notou que o pão na cestinha estava acabando e ficou grata pelo Espantalho não comer nada, pois mal tinha comida o suficiente para ela e Totó por mais um dia.

Terminada a refeição, estava prestes a voltar para a estrada de tijolos amarelos, quando ouviu um gemido não muito longe.

"O que foi isso?", perguntou assustada.

"Não faço a menor ideia", respondeu o Espantalho, "mas podemos ir lá ver."

Ouviram então outro gemido, e o som parecia vir de trás deles. Virando-se, adentraram a floresta. Dorothy então vislumbrou algo que brilhava sob os raios de sol que banhavam as árvores. Ela correu até o local e parou de repente, gritando de susto.

Uma das árvores maiores estava cortada pela metade e, ao seu lado, parado com o machado em punho, estava um homem todo feito de lata, com cabeça, braços e pernas atarraxados ao tronco. Estava completamente imóvel, como se paralisado.

Dorothy o fitou, admirada, assim como o Espantalho, enquanto Totó latia e mordiscava as pernas de lata, que machucavam seus dentes.

"Foi você quem gemeu?", perguntou Dorothy.

"Sim", respondeu o Homem de Lata, "fui eu. Estou parado aqui gemendo há mais de um ano, mas nunca ninguém me ouviu ou veio me ajudar."

"O que posso fazer por você?", indagou ela, muito dócil, pois ficara tocada pelo tom triste na voz do sujeito.

"Pegue a lata de óleo e lubrifique minhas juntas", respondeu. "Ficaram tão enferrujadas que não consigo me mexer. Se você me desenferrujar, logo vou ficar bem. A latinha de óleo está no meu chalé, em uma prateleira."

Dorothy disparou para o chalé, encontrou a lata de óleo, levou-a até ele e perguntou aflita:

"Como localizo suas juntas?"

"Comece pelo meu pescoço", respondeu o Homem de Lata. Dorothy obedeceu, mas o pescoço dele estava tão enferrujado que o Espantalho precisou segurar firme a cabeça de lata e movê-la suavemente de um lado para o outro, até que, devidamente lubrificado, o Homem de Lata conseguiu mexer o pescoço sozinho.

"Agora os meus braços", pediu.

Dorothy repetiu o processo, com ajuda do Espantalho, até que os braços, desenferrujados, ficaram novinhos em folha. O Homem de Lata suspirou aliviado e desceu o machado, encostando-o em uma árvore.

"Que alívio", disse ele. "Estava empunhando esse machado no ar desde o dia em que me enferrujei e vocês não imaginam como é bom poder finalmente largá-lo. Agora, se repetir o procedimento com as minhas pernas, voltarei ao normal."

Ela aplicou o óleo nas pernas até que ele conseguisse mexê-las livremente. O Homem de Lata lhes agradeceu repetidas vezes pelo resgate e mostrou-se um sujeito educadíssimo e muito grato.

"Se vocês não tivessem aparecido, acho que ia ficar aqui parado para sempre", disse. "Vocês realmente salvaram minha vida. Como vieram parar aqui?"

"Estamos indo para a Cidade de Esmeraldas, vamos consultar o Grande Oz", respondeu a menina. "Paramos para passar a noite no seu chalé."

"E por que querem consultar Oz?", indagou ele.

"Quero que ele me ajude a voltar para o Kansas e o Espantalho quer ganhar um cérebro", respondeu ela.

O Homem de Lata refletiu por um instante e então perguntou:

"Vocês acham que Oz me daria um coração?"

"Acho que sim", respondeu Dorothy. "Seria tão fácil quanto dar um cérebro para o Espantalho."

"Verdade", concordou o Homem de Lata. "Bem, se vocês permitirem que os acompanhe, gostaria de ir também para a Cidade de Esmeraldas e pedir ajuda a Oz."

"Venha conosco", disse o Espantalho, muito amável, e Dorothy acrescentou que sua companhia seria muito bem-vinda. O Homem de Lata apoiou o machado no ombro e seguiu com a dupla pela floresta, até reencontrarem a estrada revestida de tijolos amarelos.

O Homem de Lata pedira a Dorothy que guardasse a lata de óleo na cestinha.

"Que alívio."

"Caso eu pegue uma chuva e fique enferrujado, vou precisar de óleo novamente."

Foi sorte terem um novo companheiro em sua jornada, pois mal haviam retomado o percurso e precisaram atravessar uma região onde as árvores e os galhos eram tão espessos que fechavam a estrada, impedindo a passagem dos viajantes. Mas o Homem de Lata, munido de seu machado, cortou os galhos e logo abriu um caminho para o grupo.

Dorothy estava tão absorta em seus pensamentos enquanto caminhavam que sequer notou quando o Espantalho tropeçou em um buraco e rolou para o outro lado da estrada. Ele foi obrigado a gritar por socorro, para que ela o ajudasse a ficar de pé novamente.

"Por que você não desviou do buraco?", perguntou o Homem de Lata.

"Pensar não é o meu forte", respondeu o Espantalho, bem-humorado. "Minha cabeça é recheada de palha e é por isso que estou indo pedir a Oz que me dê um cérebro."

"Ah, entendi", disse o Homem de Lata. "Mas, sabe, ter um cérebro não é a melhor coisa do mundo."

"Você tem?", indagou o Espantalho.

"Não, minha cabeça é bem oca", respondeu o Homem de Lata. "Mas já tive, e um coração também. E, pela minha experiência com ambos, prefiro mil vezes ter um coração."

"Por quê?", quis saber o Espantalho.

"Vou contar minha história e você vai entender."

Então, enquanto caminhavam pela floresta, o Homem de Lata relatou o seguinte:

"Sou filho de um lenhador que cortava árvores na floresta e se mantinha com a venda da lenha. Quando atingi a maioridade, também me tornei lenhador. Depois que meu pai faleceu, cuidei da minha mãe, já idosa, até a morte dela. Então, decidi que, em vez de continuar morando sozinho, ia me casar, para não me sentir tão só.

"Conheci uma moça Munchkin muito linda e logo me apaixonei perdidamente. Ela prometeu se casar comigo tão logo eu conseguisse dinheiro para construir uma casinha melhor, de modo que comecei a trabalhar dia e noite para alcançar esse objetivo. Mas a moça morava com uma velha que não queria que ela se casasse com ninguém, pois era tão preguiçosa que preferia que a menina continuasse morando com ela, para cozinhar e limpar a casa. A velha então procurou a Bruxa Má do Leste e prometeu duas ovelhas e uma vaca se ela impedisse o casamento. A Bruxa Má enfeitiçou meu machado e um dia, quando estava cortando lenha a todo vapor, ansioso para construir uma casa nova e poder ter minha esposa o quanto antes, o machado escorregou da minha mão e amputou minha perna esquerda.

"Isso foi uma baita desgraça, pois eu sabia que, com uma perna só, não poderia mais ser um bom lenhador. Fui então procurar um funileiro e pedi que me fizesse uma perna nova de lata. Depois que me acostumei, a perna ficou joia. Mas minha engenhosidade despertou a ira da Bruxa Má do Leste, pois ela prometera à velha que eu não me casaria com a bela moça Munchkin. Quando retomei o trabalho, o machado escorregou novamente e amputou minha perna direita.

Voltei no funileiro e ele fez outra perna nova de lata. Depois, o machado enfeitiçado cortou meus braços, um após o outro. Sem me deixar abater, os substituí por braços de lata. A Bruxa Má então fez com o que machado decepasse minha cabeça. Primeiro, pensei que estava mesmo acabado. Mas, por sorte, o funileiro estava passando bem na hora e logo providenciou uma cabeça de lata para mim.

"Achei que tivesse derrotado a Bruxa Má e me pus a trabalhar com mais afinco do que nunca. Não fazia sequer ideia de quão cruel era minha inimiga. Ela encontrou outra maneira de matar meu amor pela linda donzela Munchkin: fez o machado escorregar mais uma vez, cravou-o em meu tronco e me cortou ao meio. O funileiro me ajudou novamente, fazendo um corpo inteiro de lata e aparafusando meus braços, pernas e minha cabeça, para que pudesse recuperar meus movimentos. O problema é que, infelizmente, meu coração se fora e, junto dele, todo o amor que eu sentia pela moça, de modo que já não mais me importava se ia me casar com ela ou não. Acho que ela continua morando com a velha, esperando que eu um dia vá buscá-la.

"Meu corpo todo reluzia sob o sol, o que me deixava muito vaidoso, e não precisava mais me preocupar com os deslizes do machado, pois ele não podia mais me cortar ou ferir. Havia um único perigo: que minhas juntas enferrujassem, por isso eu mantinha sempre uma lata de óleo no chalé e cuidava de aplicá-lo sempre que havia necessidade. Um dia, porém, esqueci-me completamente disso e, pego de surpresa por uma tempestade, não tive sequer tempo de pensar no risco que corria: minhas juntas logo enferrujaram e fiquei preso na floresta, do jeito como vocês me encontraram, até que viessem me ajudar. Foi uma experiência terrível, mas durante todo o ano em que fiquei lá paralisado, tive bastante tempo para refletir e concluí que ficar sem coração foi a maior perda de todas. Quando estava apaixonado, fui o mais feliz dos homens, mas pessoas sem coração não sabem amar. E é por isso que estou decidido a pedir um para Oz. Se ele conceder meu desejo, vou procurar a moça Munchkin e finalmente me casar com ela."

Tanto Dorothy quanto o Espantalho pareciam muito interessados na história do Homem de Lata e o ouviram atentamente. Agora sabiam por que ele estava tão ansioso para conseguir um coração.

"Ainda assim", concluiu o Espantalho, "prefiro pedir um cérebro, pois um tolo não saberia o que fazer com um coração mesmo que o tivesse."

"Prefiro o coração", retrucou o Homem de Lata, "pois inteligência não traz felicidade a ninguém e não há nada melhor no mundo do que ser feliz."

Dorothy não disse nada, na dúvida de qual dos seus amigos estava certo. No fundo, sabia que se conseguisse voltar para o Kansas e sua tia Em, não faria muita diferença se o Homem de Lata e o Espantalho tinham cada um o que faltava no outro ou se um dia conseguiriam realizar seus desejos.

Sua maior preocupação era a escassez de comida, pois o pão estava quase acabando e sua próxima refeição com Totó esvaziaria toda a cestinha. Nem o Homem de Lata nem o Espantalho precisavam de comida, mas ela — que não era feita nem de lata nem de palha — não podia sobreviver sem se alimentar.

Capítulo VI.
O Leão Covarde

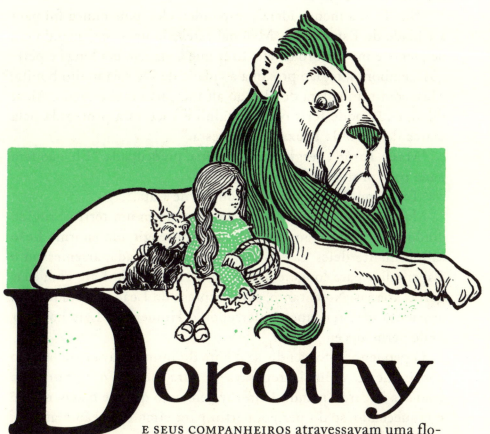

Dorothy

E SEUS COMPANHEIROS atravessavam uma floresta cerrada. A estrada ainda era revestida com tijolos amarelos, mas já bastante encobertos por galhos secos e folhas mortas que se desprendiam das árvores, o que tornava o caminho bem árduo.

Havia poucos pássaros naquele trecho da floresta, pois as aves preferem o descampado, onde há sol. De vez em quando, ouviam o rosnado profundo de algum animal selvagem, escondido entre as árvores. O som fazia o coração de Dorothy disparar, pois não conseguia identificar o animal. Já Totó parecia saber, pois avançava rente à menina, sem sequer latir de volta.

"Será que ainda falta muito para sair da floresta?", perguntou ela para o Homem de Lata.

"Não faço a menor ideia", respondeu ele, "pois nunca fui para a Cidade de Esmeraldas. Meu pai esteve lá uma vez, quando era pequeno, e me lembro de ele dizer que a viagem era longa e perigosa, embora a região próxima à cidade de Oz seja muito bonita. Mas, com minha lata de óleo ao alcance, não tenho medo. Além disso, nada pode ferir o Espantalho e você está protegida pela marca do beijo da Bruxa Boa na testa."

"Mas e Totó?", perguntou a menina, preocupada. "Ele não tem nada para protegê-lo!"

"Tem a nós", respondeu o Homem de Lata.

Mal ele pronunciou tais palavras, ouviram um terrível rugido vindo da floresta e, antes que pudessem reagir, um enorme Leão saltou diante deles na estrada. Com uma patada, arremessou o Espantalho para longe e arranhou o Homem de Lata com suas garras afiadas. No entanto, para surpresa do Leão, seu ataque não avariou o material, apenas derrubou o Homem de Lata no chão, onde permaneceu, imóvel.

O pequeno Totó, vendo-se diante do inimigo, avançou latindo contra ele. O animal preparava-se para morder o cachorrinho com sua bocarra quando Dorothy, temendo que ele matasse Totó e esquecendo-se do perigo, partiu para cima do Leão e atingiu seu focinho com toda a força, gritando:

"Não se atreva a morder Totó! Você devia se envergonhar, um animal feroz do seu porte tentando morder um pobre cachorrinho!"

"Eu não mordi ele", respondeu o Leão, esfregando a patinha no focinho.

"É, mas bem que tentou", retrucou ela. "Você não passa de um grandessíssimo covarde."

"Eu sei", suspirou o Leão, abaixando a cabeça, envergonhado. "Sempre soube disso. Mas não consigo ser diferente."

"Você devia se envergonhar!"

"Estou vendo! Atacar uma criatura feita de palha, como o pobre Espantalho!"

"Ele é feito de palha?", perguntou o Leão, admirado, enquanto observava Dorothy ajudando o Espantalho a ficar de pé e dando tapinhas pelo seu corpo, para ajeitar a palha novamente no lugar.

"Claro que é", respondeu Dorothy, ainda muito zangada.

"Ah, então é por isso que o derrubei com tanta facilidade", comentou o Leão. "Fiquei impressionado, ele saiu rolando... O outro é de palha também?"

"Não, é de lata", respondeu Dorothy, ajudando o Homem de Lata a se erguer do chão.

"Logo vi, ele quase cegou minhas garras", disse o Leão. "Senti um calafrio na espinha quando arranhei a lata. Que bichinho é esse, de quem você tanto gosta?"

"É meu cachorro, Totó", respondeu Dorothy.

"Ele é feito de lata ou de palha?", indagou o Leão.

"Nem uma coisa, nem outra. É feito de carne e osso", explicou a menina.

"Ora, essa! Que animal interessante e, olhando bem agora, como é miudinho! Só mesmo um covarde como eu para pensar em morder essa coisinha tão pequena", confessou o Leão, com tristeza na voz.

"E por que você é assim tão covarde?", perguntou Dorothy, fitando o Leão admirada, pois ele era quase do tamanho de um cavalo pequeno.

"É um verdadeiro mistério", respondeu o Leão. "Acho que já nasci assim. Obviamente, todos os animais esperam que eu seja corajoso, pois o Leão é tido como o Rei da Floresta. Aprendi que se rugir bem alto, meto medo em todo mundo e todos saem correndo. Fiquei apavorado todas as vezes que cruzei com humanos, mas bastava rugir que disparavam em correria. Acho que se os elefantes, os tigres e os ursos tentassem partir para o ataque, quem sairia correndo seria eu, de tão covarde que sou. Mas assim que ouvem meu rugido, eles fogem e eu, é claro, deixo que escapem."

"Mas isso não está certo. O Rei da Floresta não deveria ser um covarde", disse o Espantalho.

"Eu sei", retrucou o Leão, enxugando uma lágrima com a pontinha de sua cauda. "É minha maior desgraça e torna minha vida muito infeliz. Mas, sempre que me deparo com o perigo, meu coração dispara."

"Será que você tem alguma doença cardíaca?", perguntou o Homem de Lata.

"Hum, pode ser", disse o Leão.

"Se tiver, deve ficar contente, pois é prova de que tem um coração. Já eu, não posso ter doença cardíaca nenhuma, pois nem coração eu tenho."

"Talvez", ponderou o Leão, pensativo, "se eu não tivesse coração, não seria covarde."

"Você tem cérebro?", perguntou o Espantalho.

"Acho que sim. Nunca olhei para ver", respondeu o Leão.

"Estou indo pedir um para o Grande Oz", explicou o Espantalho. "Minha cabeça é recheada só com palha."

"Estou indo pedir um coração", disse o Homem de Lata.

"E eu quero que ele me mande de volta para o Kansas com Totó", acrescentou Dorothy.

"Vocês acham que Oz me daria coragem?", perguntou o Leão Covarde.

"Tão fácil quanto me dar um cérebro", garantiu o Espantalho.

"Ou um coração", disse o Homem de Lata.

"Ou me levar de volta para casa", reforçou Dorothy.

"Então, se vocês não se incomodarem, gostaria de ir com vocês", disse o Leão, "pois sem coragem, minha vida é insuportável."

"Será muito bem-vindo", disse Dorothy, "pois vai nos proteger dos outros animais selvagens. Acho que devem ser ainda mais covardes, pois você os assusta sem sequer fazer esforço."

"E são mesmo", confirmou o Leão, "mas isso não me torna mais corajoso e, enquanto souber no meu íntimo que sou covarde, continuarei infeliz."

Mais uma vez o grupo seguiu viagem, agora com o Leão andando imponente ao lado de Dorothy. No início, Totó não aprovou muito o novo companheiro, pois ainda lembrava bem de como quase tinha sido triturado na bocarra do animal. Mas, com o passar do tempo, o cachorrinho foi ficando mais à vontade e logo Totó e o Leão Covarde se tornaram bons amigos.

O dia transcorreu sem que nenhum outro incidente perturbasse a paz dos viajantes, com exceção de um único contratempo. O Homem de Lata pisou sem querer em um besouro e acabou matando o pobrezinho. O acidente deixou o Homem de Lata arrasado, pois cuidava sempre para não machucar nenhum ser vivente, e desabou em lágrimas de tristeza e culpa. As lágrimas, escorrendo lentamente pelo rosto, acabaram enferrujando seu queixo. Quando Dorothy lhe fez uma pergunta, ele percebeu que não conseguia abrir a boca, pois a mandíbula estava toda paralisada. Apavorado, fez vários gestos nervosos pedindo que Dorothy o socorresse, mas ela custou a entender. O Leão também não compreendeu o que estava acontecendo, e foi o Espantalho quem apanhou a lata de óleo na cestinha de Dorothy e lubrificou a mandíbula do Homem de Lata. Em poucos segundos, ele já podia falar novamente:

"Isso vai servir como lição, para que eu olhe bem onde piso. Pois, se matar outro inseto, vou acabar chorando de novo e chorar enferruja minha mandíbula, me impedindo de falar."

Por isso, passou a caminhar com muita cautela, com os olhos fixos no chão, e sempre que via a menor das formiguinhas, desviava para não a machucar. O Homem de Lata sabia muito bem que não tinha coração, de modo que tomava cuidado extra para não ser cruel ou indelicado com nenhum ser vivo.

"Vocês que têm coração", disse ele, "têm algo para orientá-los e não devem jamais fazer mal a alguém. Já eu não tenho, então preciso tomar cuidado redobrado. Quando Oz me der um coração, aí sim poderei me dar o luxo de não ser tão atento."

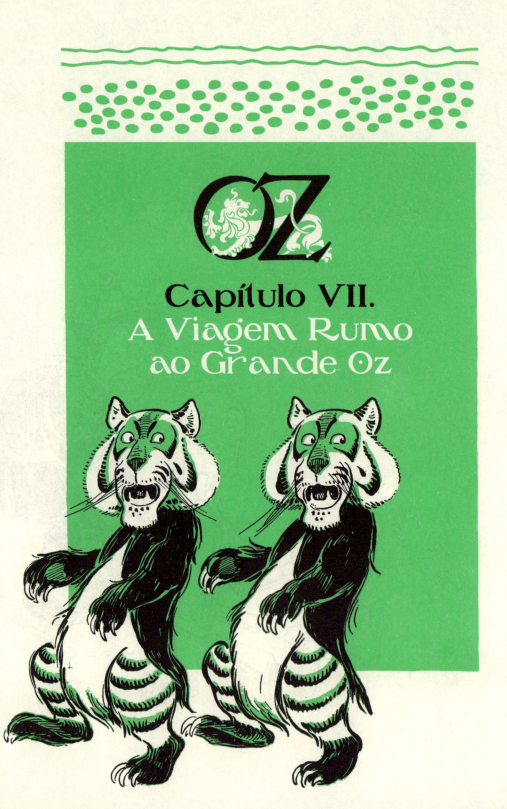

Naquela

NOITE, FORAM OBRIGADOS a acampar sob uma grande árvore na floresta, pois não havia uma casa sequer nos arredores. A árvore ofereceu boa e sólida proteção do sereno. O Homem de Lata cortou uma alta pilha de lenha com seu machado e Dorothy, após fazer uma esplêndida fogueira, aqueceu-se, sentindo-se menos desanimada. Ela e Totó haviam jantado os últimos pedaços de pão e ela não sabia o que iam comer no café da manhã.

"Se você quiser, posso ir floresta adentro e matar um cervo. Você pode assá-lo na fogueira, já que tem um gosto tão peculiar que prefere comida cozida, e será um excelente desjejum para ambos."

"Não faça isso, por favor!", suplicou o Homem de Lata. "Se matar um pobre cervo, com certeza vou chorar e minha mandíbula vai ficar toda enferrujada de novo."

O Leão desapareceu pela floresta e lá caçou seu jantar, sem que ninguém soubesse o que foi, pois ele não contou. O Espantalho encontrou uma nogueira cheia de fruto e encheu a cestinha de Dorothy com nozes, para que ela não sentisse fome tão cedo. Ela achou o gesto muito gentil e atencioso, mas caiu na gargalhada observando a pobre criatura: suas mãos eram tão desajeitadas e as nozes tão miúdas que quase metade da colheita ia para o chão. Encher a cesta foi uma tarefa demorada, mas o Espantalho não se importou com isso. Era um modo de ficar longe da fogueira, pois ele morria de medo que uma faísca escapasse em sua palha e o queimasse por inteiro. Manteve-se bem longe das chamas e só se aproximou para cobrir Dorothy com folhas secas, para que ela ficasse bem quentinha. Aconchegada e aquecida, a menina dormiu direto até a manhã seguinte.

Ao amanhecer, lavou o rosto em um riacho que corria perto da estrada e depois partiram rumo à Cidade de Esmeraldas.

Foi um dia cheio para os viajantes. Com menos de uma hora de caminhada, depararam-se com um enorme fosso que, cortando a estrada, dividia a floresta. Era muito largo e, ao se aproximarem da margem, constataram que era também bastante profundo, com largas pedras pontiagudas no fundo do abismo. As margens eram íngremes, impossibilitando a descida, e, por um instante, parecia de fato que a jornada dos amigos havia chegado ao fim.

"O que vamos fazer?", perguntou Dorothy, aflita.

"Não faço a menor ideia", respondeu o Homem de Lata, enquanto o Leão sacudia a juba, pensativo.

Foi então que o Espantalho disse:

"Bom, não podemos cruzar o fosso voando, é claro. Nem podemos arriscar uma descida neste abismo. Então, se não podemos saltar sobre ele, acho melhor pararmos por aqui."

"Acho que consigo saltar", disse o Leão Covarde, após calcular a distância em sua mente.

"Então, estamos feitos", declarou o Espantalho, "pois você pode nos carregar, um de cada vez."

"Bem, posso tentar", disse o Leão. "Quem quer vir primeiro?"

"Eu vou", disse o Espantalho, "pois se você não conseguir, Dorothy vai morrer e o Homem de Lata vai se amassar todo nas pedras lá embaixo. Já no meu caso, uma eventual queda não me fará nenhum mal."

"Morro de medo de cair", confessou o Leão Covarde, "mas não nos resta outra opção a não ser tentar. Suba e vamos lá."

O Espantalho subiu no Leão, que avançou até a beira do abismo, agachando-se.

"Por que não corre e salta de uma vez?", perguntou o Espantalho.

"Porque não é assim que os Leões fazem", respondeu. Então, arremessando-se no ar num firme impulso, ele saltou e aterrissou são e salvo na outra margem.

Todos ficaram muito felizes ao ver que ele conseguia transpor o abismo com facilidade e, tão logo o Espantalho desceu, ele saltou novamente para buscar o próximo companheiro.

Dorothy quis ir em seguida. Aninhando Totó no colo, subiu no Leão, agarrando-se com firmeza em sua juba com a mão livre. Logo sentiu como se estivesse voando e, antes que tivesse tempo para pensar, já estava em terra firme do outro lado. O Leão retornou para buscar o Homem de Lata e depois precisou de alguns minutos para descansar, pois estava sem fôlego e respirava ofegante como um cachorro cansado.

A floresta na outra margem era escura e sinistra. Após o breve descanso do Leão, retomaram o caminho pelos tijolos amarelos, cada um perdido em seus pensamentos, especulando se conseguiriam um dia sair daquela floresta escura e ver novamente a luz do sol. Para piorar a situação, começaram a ouvir ruídos estranhos e o Leão explicou, num sussurro, que aquela região era habitada por Kalidahs.

"O que são Kalidahs?", perguntou a menina.

"São monstros com corpos de urso e cabeças de tigre", respondeu o Leão, "com garras tão compridas e afiadas que me partiriam ao meio com a mesma facilidade com que eu poderia dilacerar Totó. Morro de medo deles."

"E com razão", retrucou Dorothy. "Devem ser animais terrív

O Leão estava prestes a responder quando, de repent depararam com outro fosso. Era tão vasto e profund o Leão logo constatou que não conseguiria passar

Sentaram-se para decidir o que fa concentrada reflexão, o Espantalho sugeriu:

"Há uma árvore bem alta lado do abismo. Se o Homem de Lata conseguir derrubá- vai tombar sobre o fosso e podemos cruzar pelo tronco, como s sse uma ponte."

"Mas que ideia genial", di o Leão. "Até parece que você tem miolos em vez de palha na ca "

O Homem de Lata começou a tarefa sem demora e seu machado era tão afiado que, em pouco tempo, a árvore já estava prestes a tombar. O Leão ajudou, projetando as patas no tronco e usando seu peso para empurrá-la e, lentamente, a imensa árvore caiu sobre o fosso, a copa descendo com um estrondo do outro lado da margem.

Mal tinham começado a cruzar a ponte improvisada, quando ouviram um rugido medonho. Erguendo os olhos, viram apavorados que duas feras com corpo de urso e cabeça de tigre avançavam em sua direção.

"São os Kalidahs!", gritou o Leão Covarde, todo trêmulo.

"Depressa!", exclamou o Espantalho. "Vamos atravessar para a outra margem!"

Dorothy foi primeiro, carregando Totó no colo, depois o Homem de Lata e o Espantalho. Embora morto de medo, o Leão ficou por último, para enfrentar os Kalidahs. Ele deu um rugido tão retumbante e violento que fez Dorothy gritar e o Espantalho cair para trás, paralisando até as terríveis feras, que o fitaram, com ar de surpresa.

Vendo, porém, que eram maiores do que o Leão e lembrando que estavam em dupla, ao passo que ele estava só, os Kalidahs avançaram, obrigando o Leão a atravessar pela árvore, olhando para trás para ver se estava sendo seguido. Constatando que as tenebrosas feras continuavam em seu encalço, o Leão disse para Dorothy:

"Estamos perdidos, eles vão nos dilacerar com suas garras afiadas. Mas fique atrás de mim, vou lutar contra eles até meu último suspiro."

"Espere!", gritou o Espantalho, que estivera refletindo sobre a situação. Ele pediu ao Homem de Lata para cortar a copa da árvore que jazia na margem onde estavam. O Homem de Lata pôs-se a trabalhar com seu machado imediatamente e, justo quando os Kalidahs estavam quase os alcançando, a árvore despencou e levou junto as horrendas feras, que se espatifaram contra as pontiagudas rochas nas profundezas do abismo.

"Ufa", disse o Leão Covarde, com um suspiro de alívio. "Ainda não foi dessa vez que morremos, o que me deixa muito feliz. Afinal, estar morto deve ser muito inconveniente. Aquelas criaturas me assustaram tanto que meu coração ainda está aos pulos."

"Poxa vida", lamentou o Homem de Lata, "como gostaria de ter um coração aos pulos."

A aventura deixou os viajantes ainda mais ansiosos para escaparem logo da floresta e eles seguiram caminhando tão depressa que Dorothy, exausta, acabou carregada pelo Leão em seu dorso. Para a alegria do grupo, à medida que avançavam, as árvores iam se tornando menos espessas. De tarde, depararam-se de repente com um vasto rio, que corria veloz diante deles. Na outra margem, avistaram a estrada de tijolos amarelos cercada por uma linda paisagem, com campos verdejantes ricos em flores vistosas, e ladeada por árvores carregadas com apetitosas frutas. A visão de tanta beleza os encheu de contentamento.

"Como vamos atravessar o rio?", perguntou Dorothy.

"Vai ser moleza", respondeu o Espantalho. "Basta o Homem de Lata construir uma jangada, para que possamos alcançar o outro lado."

O Homem de Lata, munido de seu machado, começou a cortar árvores pequenas para construir a jangada e, enquanto estava ocupado com isso, o Espantalho

encontrou à margem do rio uma árvore cheia de frutas. Dorothy ficou contente, pois passara o dia todo comendo apenas nozes, e pôde finalmente fazer uma refeição mais caprichada.

Mas construir uma jangada não é tarefa simples, nem mesmo para um lenhador tão engenhoso e incansável quanto o Homem de Lata. A noite caiu sem que ele tivesse concluído sua tarefa. Sendo assim, encontraram um lugar aconchegante sob as árvores e dormiram até o dia seguinte. Dorothy sonhou com a Cidade de Esmeraldas e o bondoso Mágico de Oz, que em breve a ajudaria a voltar para a casa.

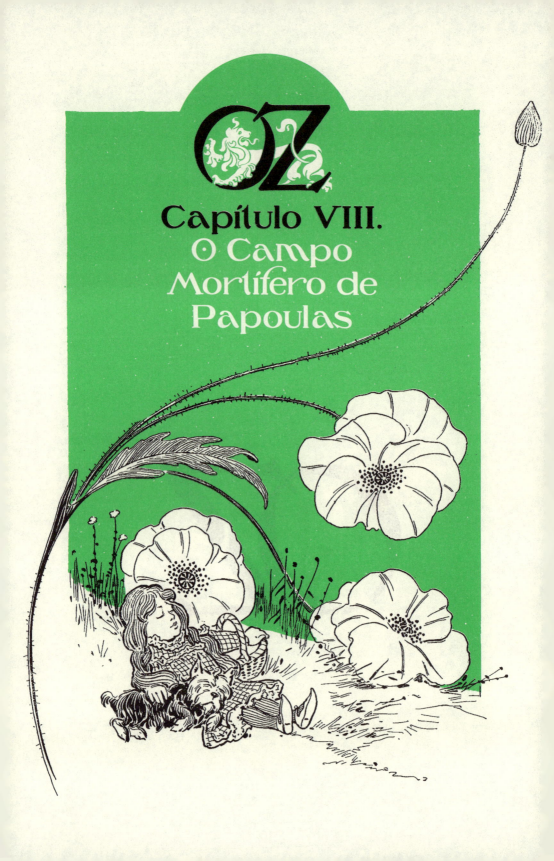

Na MANHÃ SEGUINTE, nossos viajantes acordaram refeitos e cheios de esperança. Dorothy tomou um café de manhã de princesa, com pêssegos e ameixas das árvores à margem do rio. A sombria floresta ficara para trás e, embora tivessem encontrado vários obstáculos, haviam concluído a travessia sãos e salvos. Diante deles, descortinava-se uma região exuberante e ensolarada, que parecia convidá-los para a Cidade de Esmeraldas.

Um vasto rio, porém, os separava de seu belo destino. A jangada estava quase pronta e, após o Homem de Lata ter cortado mais lenha e prendido tudo com pinos de madeira, os companheiros se prepararam para partir. Dorothy sentou-se no meio da jangada, com Totó no colo. Quando o Leão Covarde subiu, a jangada quase virou, pois ele era grande e pesado. O Espantalho e o Homem de Lata se acomodaram do lado oposto, para manter o equilíbrio, munidos com remos improvisados para poder guiar a jangada até a outra margem.

No início, tudo correu bem, mas quando chegaram no meio do rio, a veloz corrente carregou a jangada rio abaixo, afastando os viajantes cada vez mais da estrada de tijolos amarelos. O rio tornou-se tão fundo que não era mais possível usar os remos.

"Mau sinal", disse o Homem de Lata, "pois se não conseguirmos alcançar a outra margem, vamos ser carregados pelo rio até os domínios da Bruxa Má do Oeste, que vai nos enfeitiçar e nos transformar em seus escravos."

"Se isso acontecer, não vou conseguir meu cérebro", concluiu o Espantalho.

"Nem eu a minha coragem", disse o Leão Covarde.

"E eu, meu coração", disse o Homem de Lata.

"E eu nunca mais vou conseguir voltar para o Kansas", disse Dorothy.

"Temos que chegar na Cidade de Esmeraldas de qualquer jeito", sentenciou o Espantalho, remando com tanta força que o remo agarrou na lama do fundo do rio. Antes que conseguisse puxá-lo ou soltá-lo, a jangada foi carregada pela forte corrente e o pobre Espantalho ficou para trás, agarrado ao remo no meio do rio.

"Adeus!", gritou ele, e os companheiros ficaram muito tristes por perdê-lo. O Homem de Lata começou a chorar, mas felizmente lembrou a tempo que podia ficar enferrujado e enxugou as lágrimas depressa no avental de Dorothy.

A situação do Espantalho era mesmo uma tristeza.

"Estou pior do que quando Dorothy me encontrou", pensou. "Naquela época, pelo menos estava em um milharal, onde podia fingir que afugentava os corvos. Mas para que serve um Espantalho no meio de um rio? Acho que, no fim das contas, não vou conseguir meu cérebro!"

A jangada avançou, levada pela correnteza, e o pobre Espantalho ficou para trás. O Leão disse:

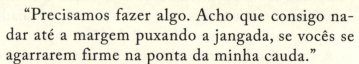

"Precisamos fazer algo. Acho que consigo nadar até a margem puxando a jangada, se vocês se agarrarem firme na ponta da minha cauda."

Assim que ele pulou na água, o Homem de Lata agarrou sua cauda e ele começou a nadar com toda sua força em direção à margem. Era preciso um esforço descomunal, embora ele fosse forte, mas aos poucos conseguiram escapar da correnteza. Dorothy pegou um dos remos e ajudou a direcionar a jangada até a margem.

Chegaram do outro lado exaustos e, ao pisarem na linda relva verdinha, perceberam que a correnteza os havia levado para longe da estrada de tijolos amarelos que conduzia à Cidade de Esmeraldas.

"O que vamos fazer agora?", indagou o Homem de Lata, enquanto o Leão deitava na grama para secar-se ao sol.

"Precisamos dar um jeito de voltar para a estrada", disse Dorothy.

"O melhor a fazer é caminhar pela margem até alcançarmos a estrada novamente", comentou o Leão.

Quando já estavam descansados, Dorothy pegou sua cestinha e seguiram pela margem até o ponto onde estavam quando foram levados pela correnteza. A área era encantadora, ensolarada e rica em flores e árvores frutíferas para animá-los. Se não estivessem tão tristes pelo pobre Espantalho, talvez tivesse sido uma caminhada agradável.

Andaram o mais rápido possível e Dorothy só parou um instante para pegar uma linda flor. De repente, o Homem de Lata gritou: "Olhem!".

Olhando para o rio, viram o Espantalho empoleirado no meio da água, com ar solitário e triste.

"O que podemos fazer para salvá-lo?", perguntou Dorothy.

O Leão e o Homem de Lata sacudiram a cabeça, sem saber o que dizer. Sentaram-se à beira do rio, contemplando melancólicos o Espantalho, até que uma Cegonha voou por perto e, ao vê-los, decidiu parar para descansar na beira da água.

"Quem são vocês e para onde estão indo?", quis saber a Cegonha.

"Meu nome é Dorothy", respondeu a menina, "e estes são os meus amigos, o Homem de Lata e o Leão Covarde. Estamos indo para a Cidade de Esmeraldas."

"Estão no caminho errado", disse a Cegonha, inclinando seu comprido pescoço e olhando com interesse para o estranho trio.

"Eu sei", disse Dorothy, "mas nos separamos do Espantalho e estamos aqui pensando em como podemos salvá-lo."

"Onde ele está?", perguntou a Cegonha.

"Ali, no meio do rio", respondeu a menina.

"Se ele não fosse tão grande e pesado, eu poderia buscá-lo para vocês", disse a Cegonha.

"Ele não é nada pesado", Dorothy tratou de explicar depressa, "pois é feito de palha. Se a senhora puder buscá-lo, seremos para sempre gratos."

"Bem, posso tentar", disse a Cegonha. "Mas se ele for muito pesado para o meu bico, vou largá-lo no meio do rio novamente."

A imensa ave voou sobre o rio até chegar ao local onde estava o Espantalho. Com suas poderosas garras, a Cegonha pegou o Espantalho pelo braço e o carregou até a margem, onde Dorothy, o Leão, o Homem de Lata e Totó estavam sentados.

Ao se ver novamente entre seus amigos, o Espantalho ficou tão contente que abraçou a todos, até o Leão e Totó. Seguiu saltitante cantarolando pelo caminho, radiante de alegria.

"Tive medo de ficar preso no rio para sempre", disse ele, "mas a gentil Cegonha me salvou! Se eu conseguir meu cérebro, vou procurá-la um dia e retribuir sua gentileza."

"Tudo bem", disse a Cegonha, voando ao lado do grupo. "Sempre gosto de ajudar quem está em perigo. Mas agora preciso ir, meus bebês estão me esperando no ninho. Espero que vocês encontrem a Cidade de Esmeraldas e que Oz os ajude."

"Obrigada", agradeceu Dorothy, e a bondosa Cegonha voou e logo desapareceu de vista.

Os companheiros caminharam ouvindo o canto de pássaros coloridos e contemplando as lindas flores, que se multiplicavam formando um verdadeiro carpete florido. Havia flores amarelas e brancas, azuis e roxas e vastos canteiros de papoulas vermelhas, tão reluzentes que quase ofuscaram os olhos de Dorothy.

"Não são lindas?", comentou a menina, inspirando o forte odor das admiráveis papoulas.

"Acho que sim", disse o Espantalho. "Quando eu tiver um cérebro, acho que vou apreciá-las melhor."

"Se eu tivesse um coração, ia amá-las", acrescentou o Homem de Lata.

"Sempre gostei de flores", comentou o Leão. "Parecem tão indefesas e frágeis. Mas em toda a floresta, nunca vi tão magníficas."

As grandes papoulas vermelhas agora dominavam a área, sobrepujando as demais flores, e eles logo se viram em um vasto campo de papoulas. Sabe-se que a concentração dessas flores

"A Cegonha o carregou até a margem."

torna seu odor tão intenso que, só de respirar, as pessoas adormecem e, se não forem removidas de sua presença, podem dormir para sempre. Dorothy, no entanto, não sabia disso e tampouco conseguia fugir para longe das flores que a cercavam por todos os lados. Seus olhos começaram a ficar pesados e ela sentiu que precisava sentar para descansar e tirar um cochilo. Mas o Homem de Lata não deixou:

"Não podemos perder tempo, precisamos voltar para a estrada de tijolos amarelos antes que anoiteça", disse ele.

O Espantalho concordou. Continuaram caminhando até que Dorothy não suportou mais: incapaz de resistir, fechou os olhos, esquecendo-se de onde estava, e tombou desacordada no meio das papoulas.

"O que vamos fazer?", perguntou o Homem de Lata.

"Se a deixarmos aqui, ela vai morrer", disse o Leão. "O cheiro das flores é letal para nós. Estou lutando para manter meus olhos abertos e o cachorrinho já adormeceu."

Era verdade: Totó estava caído ao lado da dona. O Espantalho e o Homem de Lata, por não serem de carne e osso, não foram afetados pelo odor das flores.

"Corra, depressa!", disse o Espantalho para o Leão. "Fuja deste campo letal o mais rápido que puder. Vamos levar Dorothy, mas se você adormecer, não vamos conseguir te carregar."

O Leão se levantou e partiu o mais depressa que pôde, logo desaparecendo de vista.

"Vamos fazer uma cadeira com os braços para transportá-la", sugeriu o Espantalho.

Eles apanharam Totó, colocaram-no no colo de Dorothy, e fazendo um assento improvisado com as mãos e os braços, encaixaram a menina adormecida e o cachorrinho e avançaram pelas flores.

Caminharam por um bom tempo e parecia que o tapete de flores mortíferas não tinha fim. Ao dobrar o rio, se depararam com seu amigo Leão, dormindo profundamente entre as papoulas. O portentoso animal sucumbira ao forte odor das flores e tombara a uma curta distância do fim do campo florido, onde a grama se espraiava em belos relvados.

"Não podemos fazer nada por ele", disse com tristeza o Homem de Lata. "É pesado demais para que possamos carregá-lo. Teremos que deixá-lo aqui, adormecido para sempre, e quem sabe em seus sonhos ele não terá finalmente encontrado a coragem que tanto buscou."

"Uma pena", lamentou o Espantalho. "O Leão era um ótimo companheiro, mesmo covarde. Mas precisamos seguir em frente."

Carregaram a menina adormecida até uma área próxima ao rio, longe o suficiente do campo de papoulas para impedir que continuasse inalando o veneno das flores. Acomodando-a delicadamente na relva fofa, aguardaram até que a brisa fresca a despertasse.

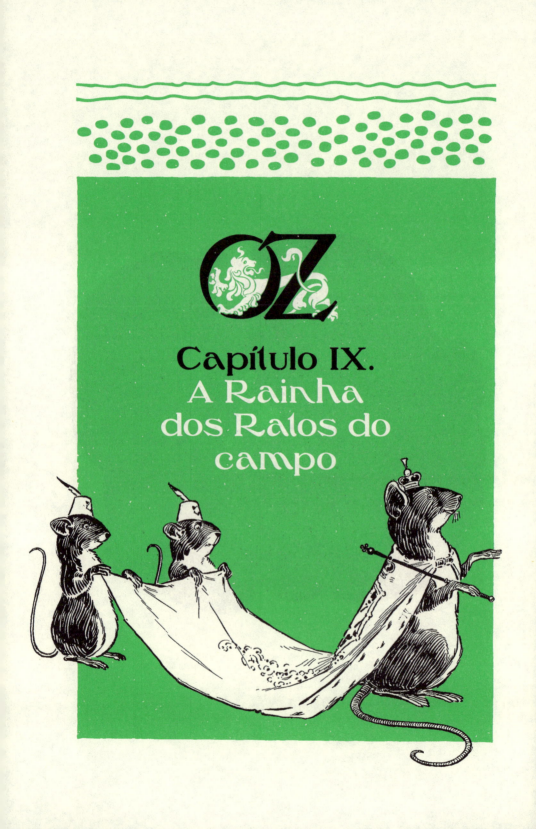

OZ

Capítulo IX.
A Rainha dos Ratos do campo

"Não DEVEMOS ESTAR muito longe da estrada de tijolos amarelos", comentou o Espantalho, parado ao lado de Dorothy. "Estamos próximos de onde estávamos quando fomos arrastados pelo rio."

O Homem de Lata estava prestes a responder quando ouviu um rosnado abafado e, virando a cabeça (que se movia perfeitamente nas articulações), viu um animal esquisito aproximando-se pela grama. Era um gato selvagem e o Homem de Lata achou que estava caçando algo, pois tinha as orelhas grudadas na cabeça e exibia suas presas, os olhos vermelhos chamuscando como bolas de fogo. Quando o animal chegou mais perto, o Homem de Lata reparou que estava no encalço de um pequenino rato do campo, que fugia em disparada. Embora não tivesse coração, o Homem de Lata sabia que o gato não tinha o direito de matar uma criaturinha tão delicada e inofensiva.

Ergueu então seu machado e, no momento em que o gato passou na sua frente, decapitou-o com um golpe certeiro. A cabeça, cortada ao meio, rolou até seus pés.

O rato do campo, livre do seu inimigo, parou de correr. Aproximando-se com cautela do Homem de Lata, exclamou em uma vozinha estridente:

"Muito obrigada! Você acaba de salvar a minha vida."

"Imagina, não precisa agradecer", respondeu o Homem de Lata. "Não tenho coração, sabe, então cuido para ajudar todos aqueles que precisam de um amigo. Até mesmo um rato."

"Até mesmo um rato!", gritou o animalzinho, com indignação. "Ora essa, sou uma Rainha… A Rainha de todos os Ratos do Campo!"

"Perdoe-me", retrucou o Homem de Lata, fazendo uma reverência.

"Sendo assim, você realizou um grande feito, bem como demonstrou muita coragem, ao salvar minha vida", disse a Rainha.

Surgiram então diversos ratos, correndo o mais depressa que suas perninhas permitiam, e ao avistarem a Rainha, exclamaram:

"Sua Majestade, pensamos que a senhora fosse morrer! Como conseguiu escapar daquela fera?"

Eles se curvaram tanto diante da diminuta Rainha que quase ficaram de ponta-cabeça.

"Este estranho homem feito de lata", respondeu ela, "matou a fera e salvou minha vida. Doravante, vocês devem servi-lo e obedecer a todos seus desejos."

O MÁGICO DE OZ

"Claro, claro!", gritaram os ratos, em estridente algazarra. Súbito, dispersaram em todas as direções, pois Totó — tendo acordado e visto todos aqueles roedores ao seu redor — latiu entusiasmado e pulou bem no meio do grupo. Totó adorava correr atrás de ratos quando morava no Kansas e não via mal nenhum naquela perseguição.

Mas o Homem de Lata pegou o cachorro no colo e o segurou com firmeza, gritando para os ratos:

"Voltem! Voltem! Totó não vai machucá-los."

A Rainha dos Ratos, escondida sob uma pilha de grama, ergueu a cabeça e perguntou, desconfiada:

"Tem certeza de que ele não vai nos morder?"

"Não vou deixar", prometeu o Homem de Lata, "não tenham medo."

Um a um, os ratos reapareceram e Totó sequer latiu novamente, embora tenha tentado se soltar do colo do Homem de Lata, a quem teria mordido se não soubesse muito bem que era feito de metal. Por fim, um dos ratos maiores se pronunciou.

"Há algo que possamos fazer por você?", indagou. "Como recompensa por ter salvado a vida da nossa Rainha?"

"Que eu saiba, não", respondeu o Homem de Lata.

Porém o Espantalho, que tentara ter uma ideia sem muito sucesso, pois tinha apenas palha no lugar do cérebro, disse depressa:

"Sim, vocês podem resgatar nosso amigo, o Leão Covarde, que está adormecido no campo de papoulas."

"Um leão!", gritou a pequena Rainha. "Ora, ele vai devorar todos nós."

"Não vai, não", garantiu o Espantalho. "Ele é covarde."

"Tem certeza?", perguntou o Rato.

"Ele próprio admite", disse o Espantalho, "e jamais machucaria um amigo nosso. Se vocês nos ajudarem a resgatá-lo, prometo que ele vai ser gentil com todos vocês."

"Está bem", concordou a Rainha, "confiamos em você. Mas como podemos resgatá-lo?"

"Existem muitos ratos que a chamam de Rainha e estão dispostos a obedecê-la?"

"Ah, sim, milhares", respondeu ela.

"Então chame eles todos para que venham o mais rápido possível, cada um com um pedacinho de barbante."

A Rainha voltou-se para seus súditos e ordenou que fossem depressa convocar todo o seu povo. Assim que ouviram suas ordens, saíram em disparada, em todas as direções.

"Agora", disse o Espantalho para o Homem de Lata, "você deve montar um caminhão com as árvores na beira do rio, para carregarmos o Leão."

O Homem de Lata partiu imediatamente e pôs-se a trabalhar sem demora. Logo arrumou os troncos e cortou todas as folhas e galhos. Prendeu-os com estacas de madeira e fez quatro rodas com os pedaços menores de um imenso tronco. Trabalhou com tamanho afinco que quando os ratos começaram a surgir, o veículo estava pronto.

Surgiram de todas as direções, aos milhares: ratos grandes, ratos médios, camundongos, cada qual carregando um pedacinho de barbante na boca. Foi então que Dorothy despertou de seu longo sono e abriu os olhos. Ficou surpresa ao se ver deitada na relva, cercada por milhares de ratos de prontidão, que a fitavam

"Permita-me apresentá-la a sua Majestade, a Rainha."

muito acanhados. Mas o Espantalho explicou tudo e, virando-se para a digníssima e diminuta Rainha, disse: "Permita-me apresentá-la a sua Majestade, a Rainha."

Dorothy a cumprimentou de maneira solene e a Rainha fez uma reverência, mas em pouco tempo estavam se tratando de forma bastante amigável.

O Espantalho e o Homem de Lata começaram então a prender com os barbantes os ratos no veículo: uma ponta ao redor do pescoço dos

animais e outra no carro. É claro que o veículo era mil vezes maior do que qualquer rato que tentasse puxá-lo sozinho, mas quando todos foram amarrados, realizaram o feito com facilidade. Conseguiram até transportar o Espantalho e o Homem de Lata, que foram rapidamente conduzidos pelos peculiares "cavalinhos" até o local onde o Leão jazia adormecido.

Após um árduo trabalho, pois o Leão era pesado, conseguiram colocá-lo no veículo. Então a Rainha deu ordens para que partissem de imediato, pois temia que, se prolongassem sua permanência entre as papoulas, seus súditos também poderiam cair no sono.

No início, embora fossem muitas, as criaturinhas mal conseguiram erguer o caminhão depois de depositarem ali sua carga. Mas o Homem de Lata e o Espantalho o empurraram pela traseira e o puseram em movimento.

Em pouco tempo, arrastaram o Leão para longe das papoulas em direção à relva verde, onde ele poderia inspirar o ar doce e fresco novamente e afastar-se da fragrância venenosa das flores.

Dorothy avançou na direção deles e agradeceu aos ratinhos por terem salvado seu companheiro da morte. Afeiçoara-se de tal modo ao Leão que ficou muito contente ao vê-lo são e salvo.

Os amigos soltaram os ratos do caminhão e logo eles se dispersaram, partindo para suas casas. A Rainha foi a última a se despedir:

"Se algum dia precisarem novamente da gente", disse ela, "é só gritar por nós no campo que vamos ajudá-los. Adeus!"

"Adeus!", responderam todos, observando a Rainha indo embora. Dorothy precisou segurar Totó com força para que ele não saísse correndo atrás da Rainha e a assustasse.

Ficaram sentados junto ao Leão, aguardando seu despertar. O Espantalho colheu algumas frutas para Dorothy, para que ela não ficasse com fome.

OZ
Capítulo X.
O Guardião do Portão

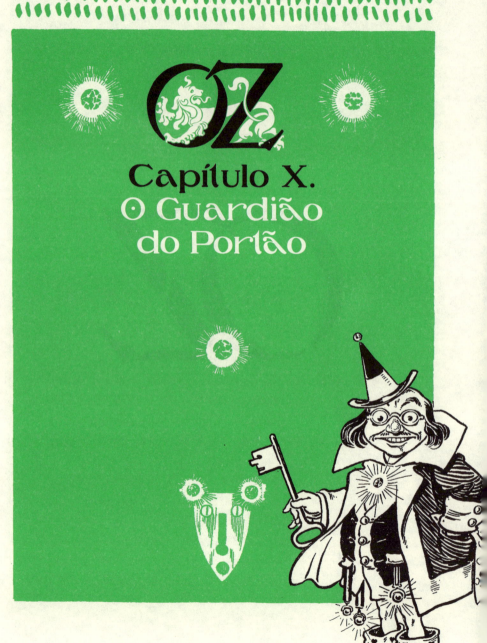

O Leão Covarde demorou para acordar, pois permanecera entre as papoulas por mais tempo, respirando sua fragrância mortal. Quando finalmente abriu os olhos e escorregou do caminhão, ficou feliz ao ver que sobrevivera.

"Corri o mais depressa que pude", bocejou e sentou-se ao lado dos companheiros, "mas as flores me derrubaram. Como foi que vocês conseguiram me tirar de lá?"

Eles contaram sobre os ratos do campo e como eles o haviam generosamente salvado da morte. O Leão Covarde riu e disse:

"Sempre me considerei grande e assustador... Pensar que quase morri por causa de meras florezinhas e fui salvo por animais tão pequenos quanto ratos... Que engraçado! Mas, meus camaradas, o que vamos fazer agora?"

"Temos que seguir viagem até encontrar a estrada de tijolos amarelos de novo", disse Dorothy, "pois ela nos levará para a Cidade de Esmeraldas."

Assim, com o Leão recomposto e de melhor ânimo, retomaram seu rumo, desfrutando a caminhada pela relva macia e fresca. Não demorou muito para alcançarem a estrada de tijolos amarelos e seguirem até a Cidade de Esmeraldas, o lar do Grande Oz.

A estrada era lisa e bem pavimentada e a região, belíssima. Os viajantes sentiram-se aliviados por deixarem a floresta para trás, com todos os perigos à espreita em suas tenebrosas sombras. Viram mais uma vez cercas ladeando a estrada, mas agora, pintadas de verde. Chegaram então nos arredores de uma casinha, visivelmente habitada por um fazendeiro, também pintada de verde. Ao longo da tarde, passaram por diversas casas semelhantes e, às vezes, as pessoas chegavam

na porta e os olhavam como se quisessem perguntar algo. No entanto, por causa do Leão, de quem tinham muito medo, ninguém se aproximou ou se dirigiu a eles. Os habitantes vestiam-se com trajes de um belo verde-esmeralda e usavam chapéus como os dos Munchkins.

"Deve ser o Reino de Oz", observou Dorothy, "e tenho certeza de que estamos perto da Cidade de Esmeraldas."

"Sim", respondeu o Espantalho. "É tudo verde aqui, ao passo que na região dos Munchkins, a cor favorita era azul. Mas os habitantes não me parecem simpáticos como os Munchkins e acho que vamos ter dificuldade de encontrar um lugar para passarmos a noite."

"Queria comer algo que não fosse fruta", disse a menina, "e estou certa de que Totó está faminto. Vamos parar na próxima casa e falar com os moradores."

Assim que passaram por uma casa grande, Dorothy caminhou decidida até a entrada e bateu à porta. Uma mulher abriu uma fresta e perguntou:

"O que você quer, criança, e por que tem um leão desse tamanho com você?"

"Gostaríamos de passar a noite, se a senhora permitir", respondeu Dorothy. "O Leão é meu amigo e companheiro e não a machucaria por nada neste mundo."

"É manso?", perguntou a mulher, abrindo um pouco mais a porta.

"Ah, sim", garantiu a menina, "e covarde que só. Terá mais medo da senhora do que a senhora dele."

"Bem", respondeu a mulher, após refletir por um instante e dar outra olhadela no Leão, "se é assim, podem entrar, vou preparar algo para comerem e arrumar um lugar para dormirem."

Entraram então na casa onde, além da mulher, havia duas crianças e um homem. O homem tinha machucado a perna e estava repousando no sofá, no canto da sala. Levaram um susto tremendo ao virem aquele grupo tão estranho e, enquanto a mulher ocupava-se arrumando a mesa, o homem indagou:

"Para onde vocês estão indo?"

"Para Cidade de Esmeraldas", respondeu Dorothy, "queremos ver o Grande Oz."

"Ah, sim!", exclamou o homem. "E estão certos de que serão recebidos por ele?"

"E por que não seríamos?", perguntou Dorothy.

"Ora, dizem que ele nunca admite ninguém em sua presença. Estive na Cidade de Esmeraldas várias vezes, é um lugar muito bonito, extraordinário... Mas nunca tive permissão para ver o Grande Oz, nem conheço sequer uma alma viva que já tenha visto ele de perto."

"E ele nunca sai?", perguntou o Espantalho.

"Nunca. Passa os dias no majestoso Salão do Trono em seu palácio, e até os que trabalham para ele não o veem face a face."

"Como ele é?", perguntou a menina.

"É difícil dizer", respondeu o homem, pensativo. "Sabe, Oz é um Grande Mágico e pode adotar a forma que bem entender. Então, alguns dizem que se parece com um pássaro; outros, com um elefante, e ainda há aqueles que dizem que ele se parece com um felino. Para outros, ele aparece como uma linda fada ou um duende ou qualquer outra forma que o agrade. Mas quem é o verdadeiro Oz, em sua autêntica forma, ninguém pode dizer."

"Que estranho", disse Dorothy. "Mas temos que tentar vê-lo, de algum jeito, ou teremos viajado à toa."

"Por que vocês querem ver o temível Oz?", perguntou o homem.

"Quero que ele me dê um cérebro", respondeu o Espantalho, eufórico.

"Ah, Oz poderia facilmente fazer isso", declarou o homem. "Ele tem mais cérebro do que precisa."

"E eu quero que ele me dê um coração", disse o Homem de Lata.

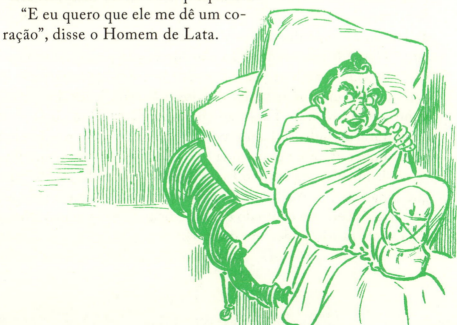

"Isso não será problema", continuou o homem, "pois Oz tem uma coleção ampla de corações, de todos os tamanhos e formatos."

"E eu quero que ele me dê coragem", disse o Leão Covarde.

"Oz tem um caldeirão de coragem no Salão do Trono", disse o homem, "coberto com um prato de ouro para evitar que o conteúdo transborde. Ele poderá te dar um pouco de bom grado."

"E eu quero que ele me mande de volta para o Kansas", disse Dorothy.

"Onde fica o Kansas?", perguntou o homem, surpreso.

"Não sei", respondeu Dorothy, desanimada, "mas é minha casa e tenho certeza de que fica em algum lugar."

"Provavelmente. Bem, Oz pode fazer de tudo, suponho que possa encontrar o Kansas para você. Mas primeiro você precisa vê-lo e isso não vai ser nada fácil, pois o Grande Mágico não gosta de ver ninguém e está acostumado a fazer apenas o que bem entende. E você, o que quer?", continuou ele, dirigindo-se a Totó. O cãozinho apenas balançou o rabo pois, por mais estranho que isso pudesse ser, não sabia falar.

A mulher os chamou, avisando que o jantar estava servido. Sentaram-se todos à mesa e Dorothy fartou-se com um mingau delicioso, acompanhado por um prato de ovos mexidos e uma porção farta de pão branco. O Leão comeu um pouco do mingau, mas não achou assim tão apetitoso; comentou que era feito de aveia e aveia era comida para cavalos, não para leões. O Espantalho e o Homem de Lata não comeram nada. Totó comeu um pouquinho de tudo, satisfeito por fazer uma refeição novamente.

A mulher ofereceu uma cama para Dorothy e Totó acomodou-se ao lado dela, enquanto o Leão vigiava a porta do quarto, para que ninguém a perturbasse. O Espantalho e o Homem de Lata postaram-se em um canto do quarto e ficaram em silêncio a noite toda, embora não pudessem dormir.

"*O Leão comeu um pouco do mingau.*"

Na manhã seguinte, assim que o sol nasceu, eles seguiram viagem e não demorou muito para virem reluzir no horizonte um brilho esverdeado no céu.

"Deve ser a Cidade de Esmeraldas", disse Dorothy.

O brilho tornava-se mais intenso à medida que se aproximavam e parecia que sua jornada estava chegando ao fim. No entanto, só alcançaram a muralha que cercava a cidade à tarde. Era alta, espessa e completamente verde.

À frente deles, ao fim da estrada de tijolos amarelos, havia um imenso portão, cravejado de esmeraldas que brilhavam tanto ao sol que ofuscaram até os olhos pintados do Espantalho.

Havia uma campainha ao lado do portão. Dorothy apertou o botão e ouviu um som cristalino ecoar lá dentro. O portão abriu-se lentamente e, ao atravessá-lo, os amigos se viram em um salão luxuoso, cujas paredes reluziam com incontáveis esmeraldas.

Diante deles estava parado um homenzinho não muito mais alto do que os Munchkins. Estava vestido todo de verde, da cabeça aos pés, e até sua pele era esverdeada. Ao lado dele, havia uma grande caixa verde.

"A árvore despencou com as horrendas feras."

Quando avistou Dorothy e seus companheiros, o homem perguntou:

"O que os traz à Cidade de Esmeraldas?"

"Viemos ver o Grande Oz", disse Dorothy.

O homem ficou tão perplexo com a resposta que precisou sentar para pensar a respeito.

"Há muitos, muitos anos que ninguém me pede para ver Oz", disse balançando a cabeça, estupefato. "Ele é poderoso e terrível e se vocês vieram até aqui perturbar as sábias reflexões do Grande Mágico à toa, por um motivo tolo, ele pode ficar furioso e destruir vocês em um piscar de olhos."

"Não é à toa, muito menos por um motivo tolo", respondeu o Espantalho, "é um assunto importante. E nos disseram que o Oz é um Mágico bom."

"E ele é", retrucou o homenzinho verde. "Ele governa a Cidade de Esmeraldas com bondade e sabedoria. Mas, com aqueles que não são honestos ou que se aproximam dele apenas por curiosidade, ele é implacável e pouquíssimos ousaram pedir para vê-lo face a face. Sou o Guardião do Portão e, já que vocês exigem ver o Grande Oz, devo levá-los até seu palácio. Mas, primeiro, vocês precisam colocar os óculos."

"Por quê?", questionou Dorothy.

"Porque se não usarem óculos, o brilho e o esplendor da Cidade de Esmeraldas vão cegá-los. Até mesmo quem mora na Cidade precisa usar óculos, noite e dia. Ficam trancados, pois Oz assim ordenou quando a Cidade foi construída, e a única chave está comigo."

Ele abriu a caixa e Dorothy reparou que estava repleta de óculos de todos os tamanhos e formatos, e todos tinham lentes verdes. O Guardião do Portão encontrou um par adequado para Dorothy e o colocou na menina. Havia duas tiras douradas presas nos óculos, que passavam pela nuca, onde eram fechados com uma pequena chave, pendurada em uma corrente que o

Guardião do Portão usava no pescoço. Uma vez colocados, Dorothy não poderia removê-los nem se quisesse; mas, é claro, como não queria ficar cega pelo brilho incandescente da Cidade de Esmeraldas, ela não disse nada. Em seguida, o homenzinho verde arrumou óculos para o Espantalho, o Homem de Lata, o Leão e até para o pequeno Totó — todos trancados à chave.

Então o Guardião do Portão colocou seus próprios óculos e avisou que estava pronto para levá-los ao palácio. Removendo uma grande chave dourada de um gancho na parede, abriu outro portão e o grupo de amigos o seguiu pelas ruas da Cidade de Esmeraldas.

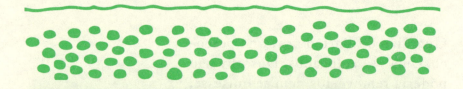

Capítulo XI.
A Maravilhosa Cidade de Oz

Mesmo

PROTEGIDOS PELOS óculos verdes, os olhos de Dorothy e seus amigos ficaram ofuscados com o esplendor da extraordinária Cidade. As ruas eram ladeadas por lindas casas, todas construídas com mármore verde e incrustadas com esmeraldas brilhantes. Caminharam por uma calçada também de mármore verde e, na junção dos blocos, havia fileiras de esmeraldas que reluziam sob o fulgor do sol. As janelas eram todas de vidro verde e até o céu sobre a Cidade parecia verde, assim como os raios solares.

Havia muitas pessoas — homens, mulheres e crianças — passeando pelo caminho, todos vestidos com trajes verdes e de peles esverdeadas. Olhavam para Dorothy e seus estranhos companheiros com curiosidade; as crianças corriam e

se escondiam atrás de suas mães quando viam o Leão, mas ninguém falou com eles. Havia várias lojas na rua e Dorothy notou que tudo que vendiam era verde: balas, pipocas, sapatos, chapéus e roupas de todos os tipos. Passaram por um homem vendendo limonada verde e quando as crianças a compraram, Dorothy reparou que pagaram em moedas verdes também.

Parecia não haver cavalos nem nenhum outro animal; os homens carregavam as cargas em carretas verdes, que eles próprios puxavam. Todos pareciam felizes, contentes e prósperos.

O Guardião do Portão os conduziu pelas ruas até alcançarem uma construção majestosa, exatamente no meio da Cidade: o Palácio de Oz, o Grande Mágico. Havia um soldado na porta, de uniforme verde e longa barba verde.

"São visitantes", disse o Guardião do Portão ao soldado, "e exigem ver o Grande Oz."

"Entrem", respondeu o soldado. "Vou levar o recado para ele."

Atravessaram então o portão do palácio e foram conduzidos a um salão amplo, com tapete verde e lindos móveis verdes, todos adornados com esmeraldas. O soldado ordenou que limpassem os pés em um capacho verde antes de entrarem no salão e, quando já estavam sentados, disse polidamente:

"Por favor, fiquem à vontade enquanto vou até a porta do Salão do Trono e aviso Oz que estão aqui."

O soldado demorou muito para regressar. Quando finalmente reapareceu, Dorothy perguntou:

"O senhor viu Oz?"

"Ah, não", respondeu o soldado, "nunca o vi. Mas falei com ele, que fica atrás de sua cortina, e transmiti o recado de vocês. Ele disse que vai lhes conceder uma audiência, se assim quiserem, mas cada um de vocês deverá entrar sozinho; ele só receberá um por dia. Assim, como vocês devem permanecer no palácio por alguns dias, vou lhes conduzir aos aposentos onde poderão descansar com conforto após sua viagem."

"Obrigada", agradeceu a menina, "é muita gentileza de Oz."

O soldado então soprou um apito verde e, prontamente, uma moça com lindo traje verde de seda entrou no salão. Tinha um cabelo verde encantador e olhos verdes também, e curvou-se diante de Dorothy, dizendo:

"Siga-me, vou levá-la ao seu quarto."

Dorothy despediu-se de todos seus amigos, com exceção de Totó. Pegou o cachorrinho no colo, seguiu a moça verde por sete corredores e três lances de escadas até chegarem a um aposento na frente do palácio. Era o quartinho mais adorável do mundo, com uma cama macia e confortável, coberta por lençóis verdes, e uma colcha verde de veludo. Havia uma pequena fonte no meio do quarto, emanando um aroma verde no ar, que cascateava em

uma linda pia de mármore verde. Lindas flores verdes ornavam as janelas e havia uma estante com prateleira cheia de pequenos livros verdes. Quando Dorothy teve tempo para abri-los, descobriu que eram repletos de imagens verdes esquisitas, que a fizeram gargalhar de tão engraçadas que eram.

No armário, havia vários vestidos verdes, de seda, cetim e veludo; todos couberam perfeitamente em Dorothy.

"Sinta-se em casa", havia dito a moça verde, "e se quiser algo, basta tocar o sino. Oz mandará buscá-la amanhã de manhã."

Ela deixou Dorothy instalada e voltou ao salão para ter com os outros. Conduziu cada um deles aos seus respectivos quartos e cada um viu-se acomodado em uma parte bastante agradável do palácio. Tamanha mordomia, obviamente, era inútil para o Espantalho. Quando ficou sozinho em seu quarto, parou não muito longe da porta e dali não arredou pé até a manhã seguinte. Não precisava deitar para descansar e não podia fechar os olhos, de modo que passou a noite inteirinha observando uma pequena aranha tecendo a teia em um dos cantos do quarto. Para ele, não fazia diferença alguma estar em um dos quartos mais admiráveis do mundo.

O Homem de Lata deitou-se na cama por uma questão de hábito, pois se recordava da época em que era feito de carne e osso. Porém, como não podia dormir, passou a noite movimentando as juntas, para se certificar de que não estavam enferrujadas.

O Leão teria preferido uma cama feita de folhas secas na floresta e não ficou nada contente ao se ver trancafiado em um quarto. Mas tinha bom senso e não se deixou abalar: acomodou--se na cama e ali espreguiçou-se como um gato. Ronronando, adormeceu logo em seguida.

Na manhã seguinte, após o desjejum, a moça verde surgiu para buscar Dorothy e a ajudou a se vestir com um dos vestidos mais bonitos, de cetim verde brocado. Dorothy colocou um avental verde de seda e uma fitinha verde no pescoço de Totó, e logo rumaram para o Salão do Trono do Grande Oz.

Cruzaram primeiro um amplo salão, onde a menina viu diversas damas e cavalheiros da corte, todos portando ricos trajes. Essas pessoas, embora jamais tenham recebido permissão para ver Oz, aguardavam na porta do Salão do Trono toda manhã, sem ter muito o que fazer a não ser conversar umas com as outras. Quando Dorothy surgiu, fitaram-na com curiosidade e um deles perguntou baixinho:

"Você vai mesmo ver o rosto de Oz, o Terrível?"

"Certamente", respondeu a menina, "se ele me receber."

"Ah, ele vai receber, sim", disse o soldado que havia transmitido seu recado para o Mágico, "embora não goste que ninguém peça para vê-lo. Para falar a verdade, no início ele ficou irritado e ordenou que a mandasse embora. Então, quis saber como era sua aparência e, quando mencionei seus Sapatos de Prata, ele ficou muito interessado. Por fim, quando comentei sobre a marca na sua testa, decidiu admiti-la em sua presença."

Neste momento, um sino soou e a moça verde disse para Dorothy:

"Os olhos a fitaram, pensativos."

"É o sinal. Você deve entrar no Salão do Trono sozinha."

Ela abriu uma portinha e Dorothy avançou, corajosa. Viu-se então em um lugar surpreendente. Um salão enorme e redondo, com teto abobadado, onde as paredes, o teto e o piso eram todos cobertos por grandes esmeraldas, agrupadas. Uma luz verde, brilhante como o sol, emanava da claraboia e seu fulgor fazia com que as esmeraldas cintilassem.

Mas o que mais chamou a atenção de Dorothy foi o esplêndido trono de mármore verde, disposto no meio do salão. Tinha o formato de cadeira e reluzia com joias, assim como todo o aposento. No centro do trono, havia uma Cabeça enorme, sem tronco, braços ou pernas. Também não tinha cabelo. Seus olhos, nariz e boca eram muito maiores do que a cabeça do mais gigantesco dos gigantes.

Enquanto Dorothy a contemplava, num misto de fascínio e pavor, os olhos voltaram-se lentamente para ela, encarando-a com severidade. A boca então se mexeu e Dorothy ouviu uma voz dizer:

"Eu sou Oz, o Grande e Terrível. Quem é você e por que veio me procurar?"

Não era uma voz tão tenebrosa quanto ela imaginara que viria da Cabeça gigante. Tomando coragem, ela respondeu:

"Eu sou Dorothy, a Pequena e Mansa. Vim pedir sua ajuda."

Os olhos a fitaram por um minuto, pensativos. Então a voz disse:

"Onde conseguiu os Sapatos de Prata?"

"Eram da Bruxa Má do Leste, vieram para mim quando minha casa caiu em cima dela e a matou", respondeu a menina.

"E essa marca na sua testa?", prosseguiu a voz.

"A Bruxa Boa do Norte me deu um beijo, ao se despedir. Foi ela quem me mandou aqui", explicou Dorothy.

Os olhos mais uma vez a fitaram severamente, mas viram que ela dizia a verdade. Oz então perguntou:

"O que você quer que eu faça?"

"Quero me mande de volta para o Kansas, onde estão minha tia Em e meu tio Henry", respondeu, muito séria. "Embora seja muito lindo, não gosto do seu reino. E tenho certeza de que tia Em deve estar doente de preocupação, pois estou fora há muitos dias já."

Os olhos piscaram três vezes, olharam para o teto, depois para o chão e giraram de um jeito tão estranho que pareciam ver todo o salão. Por fim, fitaram Dorothy novamente.

"Por que deveria ajudá-la?", indagou Oz.

"Porque é forte e eu sou fraca, porque é um Grande Mágico e eu não passo de uma garotinha."

"Mas poderosa o bastante para matar a Bruxa Má do Leste", disse Oz.

"Não foi de propósito", disse Dorothy, muito sincera. "Foi sem querer."

"Bem", disse a Cabeça, "vou lhe dar minha resposta. Não pode esperar que a mande de volta ao Kansas sem fazer algo em troca. Neste reino, tudo tem um preço. Se quer que use meus poderes mágicos para mandá-la de volta para casa, precisa fazer algo para mim antes. Ajude-me e vou ajudá-la."

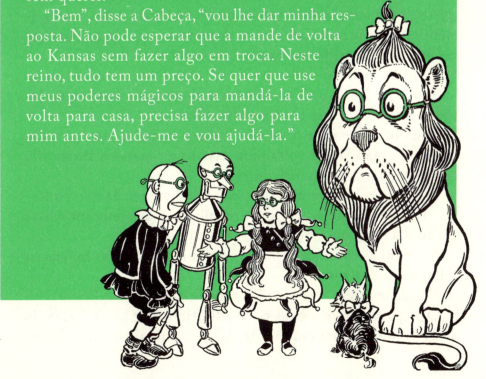

"O que devo fazer?", perguntou a menina.

"Matar a Bruxa Má do Oeste", respondeu Oz.

"Não posso fazer isso!", exclamou Dorothy, aturdida.

"Você matou a Bruxa Má do Leste e usa seus Sapatos de Prata, que possuem um encantamento poderoso. Agora sobrou apenas uma Bruxa Má em toda esta terra e quando você me disser que está morta, a mandarei de volta para o Kansas. Mas não antes disso."

Decepcionada, Dorothy começou a chorar. Os olhos piscaram novamente e a fitaram com expectativa, como se o Grande Oz sentisse que ela era capaz de ajudá-lo se assim quisesse.

"Nunca matei ninguém, não com intenção", soluçou ela. "Mesmo que quisesse, como poderia matar a Bruxa Má? Se o senhor, que é Grande e Terrível, não pode matá-la por conta própria, como espera que eu consiga?"

"Isso não sei", respondeu a Cabeça, "mas já lhe dei minha resposta e até que a Bruxa Má esteja morta, você não tornará a ver seu tio e sua tia. Lembre-se de que a Bruxa é Má, terrivelmente Má, e precisa ser morta. Agora vá e não peça para me ver até ter cumprido sua tarefa."

Dorothy saiu do Salão do Trono cabisbaixa e regressou ao local onde o Leão, o Espantalho e o Homem de Lata aguardavam para saber o que Oz havia lhe dito.

"Não há esperança para mim", disse muito triste, "pois Oz só vai me mandar de volta para casa se eu matar a Bruxa Má do Oeste, coisa que jamais farei."

Seus amigos ficaram tristes, mas não havia nada que pudessem fazer para ajudar. Dorothy recolheu-se aos seus aposentos e, deitada na cama, chorou até pegar no sono.

Na manhã seguinte, o soldado com bigodes verdes foi buscar o Espantalho e disse:

"Venha comigo, Oz mandou vir lhe buscar."

O Espantalho o seguiu e foi admitido no grande Salão do Trono onde viu, sentada no trono de esmeraldas, uma Dama lindíssima. Vestia uma diáfana túnica verde e usava, sobre as madeixas verdes, uma coroa de joias. Dos ombros brotavam asas, coloridas e brilhantes, que adejavam suavemente quando até a menor das brisas as tocava. Quando o Espantalho se curvou (tanto quanto seu recheio de palha permitia) diante da adorável criatura, ela o fitou com doçura e disse:

"Eu sou Oz, o Grande e Terrível. Quem é você e por que veio me procurar?"

O Espantalho, que esperava ver a gigantesca Cabeça descrita por Dorothy, estava estupefato, mas reuniu coragem e disse:

"Eu sou apenas um Espantalho, recheado com palha. Sendo assim, não tenho cérebro e venho lhe suplicar que me dê um, para que possa me tornar um homem como outro qualquer em seus domínios."

"Por que deveria ajudá-lo?", indagou a Dama.

"Porque é sábia, poderosa e a única que pode fazer isso por mim", respondeu o Espantalho.

"Jamais concedo favores sem algo em troca", disse Oz, "mas isso eu posso lhe prometer. Se você matar a Bruxa Má do Oeste para mim, eu lhe darei um cérebro formidável e você será o homem mais sábio de todo o Reino de Oz."

"Pensei que tivesse pedido para Dorothy matar a Bruxa", disse o Espantalho, surpreso.

"Pedi. Não faz diferença quem vai matá-la. Mas, até que esteja morta, não atenderei seu desejo. Agora vá, e não me procure novamente até merecer o cérebro que tanto deseja."

O Espantalho regressou desanimado e contou aos seus amigos o que Oz havia dito. Dorothy ficou surpresa ao saber que o Grande Mágico não era uma Cabeça, como ela o vira, e sim uma linda Dama.

"Mesmo assim", disse o Espantalho, "carece de um coração tanto quanto o Homem de Lata."

Na manhã seguinte, o soldado com bigodes verdes foi buscar o Homem de Lata e disse:

"Oz mandou vir lhe buscar. Siga-me"

O Homem de Lata o seguiu e entrou no grande Salão do Trono. Não sabia se Oz apareceria para ele como uma linda Dama ou uma Cabeça, mas estava torcendo para que fosse a Dama. "Pois", pensou, "se for a cabeça, duvido que vá me dar um coração, pois a cabeça não tem coração e não poderá se sensibilizar com meu pedido. Mas se for a linda Dama, vou implorar com todas minhas forças, pois dizem que as damas costumam ter um bom coração."

No entanto, quando o Homem de Lata adentrou o grande Salão do Trono, não viu nem a Cabeça, nem a Dama. Oz tomara a forma de uma Besta terrível, quase tão grande quanto um elefante, e o trono verde mal parecia capaz de sustentar seu peso. A cabeça da Besta parecia a de um rinoceronte, mas tinha cinco olhos. Do seu corpo cresciam cinco braços compridos e cinco pernas espichadas. O corpo todo era coberto por um pelo grosso e emaranhado e não se podia imaginar um monstro mais assustador. Por sorte o Homem de Lata não tinha coração, ou teria disparado de pavor, com seu peito batendo ruidosamente. Mas, sendo apenas de lata, não sentiu medo algum, apenas profunda decepção.

"Eu sou Oz, o Grande e Terrível", vociferou a Besta. "Quem é você e por que veio me procurar?"

"Eu sou um Homem de Lata. Por isso, não tenho coração e não posso amar. Imploro que me dê um coração, para que eu possa ser como os outros homens."

"Por que deveria ajudá-lo?", perguntou a Besta.

"Porque estou lhe pedindo e ninguém mais tem o poder de atender ao meu pedido", respondeu o Homem de Lata.

Oz emitiu um rosnado e respondeu, áspero:

"Se quer realmente um coração, precisa conquistá-lo."

"Como?", perguntou o Homem de Lata.

"Ajude Dorothy a matar a Bruxa Má do Oeste", respondeu a Besta. "Quando a Bruxa estiver morta, venha me ver e lhe darei o maior, mais gentil e amoroso coração de todo o Reino de Oz."

O Homem de Lata regressou descontente e contou aos seus amigos sobre a terrível Besta que o recebera. Todos especularam sobre as diversas formas que o Grande Mágico podia adotar e o Leão disse:

"Se ele aparecer como uma Besta para mim, vou caprichar no meu rugido mais barulhento. Ele vai ficar tão apavorado que vai atender a todos meus pedidos. Se for a linda Dama, vou ameaçar pular no colo dela e ela vai acabar se rendendo. E, se for a Cabeça gigante, estará à

minha mercê, pois vou rolá-la pelo salão até que prometa que vai conceder todos nossos desejos. Então, se animem meus amigos, pois tudo ficará bem."

Na manhã seguinte, o soldado com bigodes verdes conduziu o Leão até o grande Salão do Trono e ordenou que se apresentasse para Oz.

O Leão entrou e, olhando ao redor, ficou surpreso ao ver uma Bola de Fogo diante do trono. Seu brilho era tão inclemente e poderoso que o Leão mal conseguia olhar em sua direção. Primeiro pensou que Oz tivesse sofrido um acidente e estivesse pegando fogo, mas quando tentou se aproximar, o calor era tão intenso que chamuscou seus bigodes. Trêmulo, o Leão recuou para perto da porta.

Então uma voz baixinha veio da Bola de Fogo, que disse as seguintes palavras:

"Eu sou Oz, o Grande e Terrível. Quem é você e por que veio me procurar?"

O Leão respondeu:

"Eu sou um Leão Covarde, tenho medo de tudo. Venho suplicar que me dê coragem, para que possa ser de verdade o Rei da Floresta, como sou chamado pelos homens."

"Por que eu lhe daria coragem?", indagou Oz.

"Porque, de todos os Mágicos, és o mais poderoso, o único capaz de atender ao meu pedido", respondeu o Leão.

A Bola de Fogo ardeu por um instante, e então a voz disse:

"Traga-me uma prova de que a Bruxa Má está morta e lhe darei coragem. Mas, enquanto ela permanecer viva, você continuará covarde."

O Leão ficou irritado, mas não disse nada. Fitou a Bola de Fogo em silêncio e ela tornou-se tão ardente em sua fúria que ele deu meia-volta e saiu correndo do salão. Ficou contente ao encontrar os amigos à sua espera e contou do seu terrível encontro com o Mágico.

"O que vamos fazer agora?", lamentou Dorothy.

"Há apenas uma coisa a fazer", disse o Leão. "Precisamos voltar para a terra dos Winkies, procurar a Bruxa Má e destruí-la."

"E se não conseguirmos?", perguntou a menina.

"Então jamais terei coragem", declarou o Leão.

"E eu, um cérebro", acrescentou o Espantalho.

"E eu, um coração", disse o Homem de Lata.

"E eu jamais verei tia Em e tio Henry", concluiu Dorothy, começando a chorar.

"Cuidado!", gritou a moça verde. "As lágrimas vão estragar seu vestido de seda."

Dorothy enxugou os olhos e disse:

"Acho que devemos tentar, mas não quero matar ninguém, nem mesmo para rever minha tia Em."

"Vou com você, mas sou covarde demais para matar a Bruxa", disse o Leão.

"Vou também", declarou o Espantalho, "mas não vou servir para grande coisa, sou um idiota."

"Não tenho coração para machucar nem mesmo uma Bruxa", disse o Homem de Lata, "mas se vocês forem, contem comigo."

Decidiram então começar a jornada na manhã seguinte. O Homem de Lata afiou o machado e lubrificou todas as juntas; o Espantalho estofou o corpo com palha fresca e Dorothy retocou a pintura de seus olhos, para que enxergasse melhor. A moça verde, sempre muito atenciosa com eles, preparou um bom farnel para a cestinha de Dorothy e colocou um sininho na nova coleira verde de Totó.

Recolheram-se bem cedo e dormiram até o amanhecer, quando foram despertados pelo canto de um galo verde que morava nos fundos do palácio e o cacarejar de uma galinha que acabara de botar um ovo verde.

Capítulo XII.
Em Busca da Bruxa Má

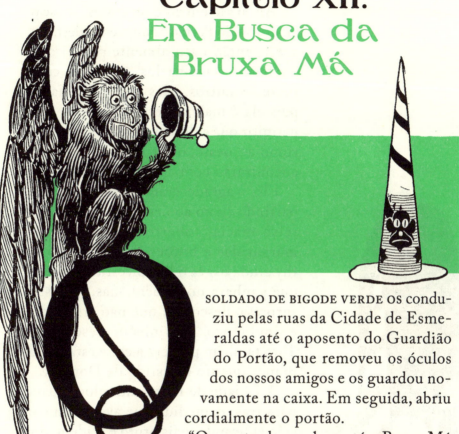

O SOLDADO DE BIGODE VERDE os conduziu pelas ruas da Cidade de Esmeraldas até o aposento do Guardião do Portão, que removeu os óculos dos nossos amigos e os guardou novamente na caixa. Em seguida, abriu cordialmente o portão.

"Que estrada nos leva até a Bruxa Má do Oeste?", perguntou Dorothy.

"Não há estrada", respondeu o Guardião do Portão. "Ninguém quer ir atrás dela."

"Como podemos encontrá-la, então?", quis saber a menina.

"Isso será fácil", respondeu o homem, "pois assim que ela souber que vocês estão na terra dos Winkies, ela os encontrará e os transformará em seus escravos."

"Talvez não", disse o Espantalho, "pois queremos destruí-la."

"Ah, aí são outros quinhentos", disse o Guardião do Portão. "Ninguém a destruiu antes, então naturalmente pensei que ela fosse escravizá-los, como fez com todos os outros. Mas tomem cuidado, pois ela é malvada e feroz e pode não permitir que a destruam. Sigam sempre rumo ao oeste, onde o sol se põe, e a encontrarão com certeza."

Eles o agradeceram e se despediram, partindo rumo ao oeste por campos de relva macia, cobertos aqui e ali por margaridas e botões-de-ouro. Dorothy ainda usava o lindo vestido de seda que ganhara no palácio, mas, para sua surpresa, descobriu que não era verde, e sim branco. A fitinha no pescoço de Totó também perdera a cor e estava tão branca quanto o vestido de Dorothy.

A Cidade de Esmeraldas logo ficou para trás. À medida que avançavam, o solo ia ficando mais bruto e acidentado, pois não havia nem fazendas nem casas naquela região ao oeste e o chão não era pavimentado.

De tarde, o sol queimou seus rostos, pois não havia árvores para fazer sombra. Antes do anoitecer, Dorothy, Totó e o Leão precisaram deitar na relva para dormir, com o Homem de Lata e o Espantalho de vigia.

"O soldado de bigode verde os conduziu pelas ruas."

A Bruxa Má do Oeste tinha apenas um olho, mas era poderoso como um telescópio e enxergava tudo, em todos os lugares. Sentada na entrada do seu castelo, avistou Dorothy dormindo, cercada por seus amigos. Estavam muito longe, mas a Bruxa Má ficou furiosa ao vê-los em seus domínios e soprou o apito de prata que trazia pendurado no pescoço.

Imediatamente, uma matilha de lobos surgiu de todas as direções para atender seu chamado. Tinham patas compridas, olhos ferozes e presas afiadas.

"Encontrem os invasores", ordenou a Bruxa, "e destrocem eles."

"Não vai transformá-los em escravos?", indagou o líder dos lobos.

"Não", respondeu ela, "um é feito de lata, o outro, de palha. A outra é uma garotinha e o outro, um Leão. Nenhum deles serve para trabalhar, então podem dilacerar todos em pedaços bem miúdos."

"Está bem", disse o lobo, e partiu a toda velocidade, seguido pelo resto da matilha.

Por sorte, o Espantalho e o Homem de Lata estavam acordados e ouviram os lobos se aproximando.

"Deixe comigo", disse o Homem de Lata, "fiquem atrás de mim que vou dar cabo de um por um, conforme forem chegando."

Ele apanhou seu machado, afiadíssimo, e quando o líder dos lobos se aproximou, o Homem de Lata desferiu um golpe preciso e arrancou a cabeça do lobo, que morreu na hora. Assim que ergueu o machado novamente, outro lobo avançou, mas também tombou ferido de morte pela arma do Homem de Lata. Havia quarenta lobos e foram quarenta golpes fatais, formando uma pilha de mortos diante do Homem de Lata.

Por fim, ele descansou o machado e sentou-se ao lado do Espantalho, que disse:

"Foi uma luta e tanto, meu amigo."

Esperaram Dorothy acordar na manhã seguinte. A menina ficou apavorada quando viu a pilha de lobos mortos, mas o Homem de Lata explicou tudo para ela. Dorothy o agradeceu por ter salvado a vida de todos e sentou-se para comer algo. Em seguida, continuaram viagem.

Naquela mesma manhã, a Bruxa Má chegou na entrada do seu castelo e, com seu único olho, examinou o horizonte. Viu então todos os lobos mortos e os forasteiros viajando pelo seu reino. Ficou ainda mais furiosa e soprou o apito de prata duas vezes.

Sem demora, um bando de corvos selvagens voou em sua direção e eram tantos que escureceram o céu.

A Bruxa Má ordenou ao Rei Corvo:

"Voem até os forasteiros, arranquem seus olhos e destrocem eles."

Os corvos selvagens partiram em bando na direção de Dorothy e seus companheiros. Quando a menina os viu se aproximarem, ficou morta de medo. Mas o Espantalho disse:

"Deixe comigo, fiquem atrás de mim e não serão feridos."

Enquanto todos deitaram no chão, o Espantalho permaneceu de pé, estendendo os braços. Quando os corvos o viram, ficaram assustados, como costumam ficar com espantalhos, e não ousaram se aproximar. Mas o Rei Corvo disse:

"É apenas um homem de palha. Vou arrancar seus olhos."

O Rei Corvo voou para cima do Espantalho, que o capturou pela cabeça e apertou seu pescoço até matá-lo. Outro corvo veio atacá-lo e o Espantalho também torceu seu pescoço. Havia quarenta corvos e quarenta vezes o Espantalho torceu um pescoço, até que todos jaziam mortos aos seus pés. Só então chamou seus companheiros, que se levantaram, e assim prosseguiram viagem.

Quando a Bruxa Má contemplou o horizonte novamente e viu todos seus corvos empilhados, ficou enfurecida e soprou o apito de prata três vezes.

De imediato, um zumbido ensurdecedor chegou aos seus ouvidos e um enxame de abelhas pretas veio voando em sua direção.

"Encontrem os forasteiros e piquem-nos até a morte!", ordenou a Bruxa. As abelhas logo partiram, voando depressa, até alcançarem o local onde estavam Dorothy e seus amigos. Mas o Homem de Lata viu o enxame se aproximando e o Espantalho teve uma ideia.

"Arranque minha palha e cubra Dorothy, Totó e o Leão com ela", disse ao Homem de Lata, "assim as abelhas não conseguirão picá-los."

O Homem de Lata executou a tarefa; Dorothy deitou-se ao lado do Leão com Totó no colo e a palha os cobriu por inteiro.

As abelhas não viram ninguém a não ser o Homem de Lata, então voaram até ele para atacá-lo. Porém, quebraram todos os ferrões no metal, sem machucar o Homem de Lata. Como não sobrevivem sem o ferrão, as abelhas pretas morreram todas, espalhadas ao redor do Homem de Lata como pequenas pilhas de carvão.

Dorothy e o Leão se levantaram e ajudaram o Homem de Lata a rechear o Espantalho com a palha novamente, até ele recuperar sua forma. Só então, seguiram viagem.

A Bruxa Má ficou tão irada quando viu suas abelhas pretas em pequenas pilhas como carvão que pisoteou o chão, arrancou os cabelos e rangeu os dentes. Chamou então uma dúzia de seus escravos Winkies, e dando-lhes lanças afiadas, ordenou que encontrassem os forasteiros e os destruíssem.

Os Winkies não eram um povo corajoso, mas tinham que cumprir ordens. Sendo assim, marcharam até encontrar Dorothy. O Leão deu um rugido assustador e saltou diante deles, e os pobres Winkies ficaram tão apavorados que fugiram correndo.

Quando regressaram ao castelo, a Bruxa Má os castigou severamente com uma cinta e ordenou que voltassem ao trabalho. Depois, ficou sentada pensando no que faria em seguida. Não conseguia entender como todos seus planos para destruir os forasteiros haviam fracassado. Mas, como era uma bruxa não apenas poderosa, mas muito malvada, logo teve uma ideia.

Havia, guardada no armário, uma Touca Dourada, ornada com diamantes e rubis; essa Touca Dourada era mágica. Quem a possuísse poderia chamar os Macacos Alados três vezes, que obedeceriam a qualquer ordem dada a eles. Mas ninguém poderia comandar tais estranhas criaturas mais do que três vezes. A Bruxa Má já tinha usado a mágica duas vezes. Uma vez para tornar os Winkies seus escravos e tornar-se a governante do reino, com a ajuda dos Macacos Alados. A segunda vez foi quando lutara contra o Grande Oz e o expulsara da região Oeste, também com a ajuda dos Macacos Alados. Como só poderia usar a Touca Dourada mais uma vez, não queria apelar para ela até esgotar todos os seus poderes.

Mas agora que seus lobos ferozes, seus corvos selvagens e suas abelhas pretas estavam todos mortos e seus escravos haviam sido afugentados pelo Leão Covarde, não via outro modo de destruir Dorothy e seus amigos.

Assim, a Bruxa Má pegou a Touca Dourada do armário e a colocou na cabeça. Equilibrando-se no pé esquerdo, disse vagarosamente:

"Épe, pépe, káque!"

Apoiando-se então no pé direito, disse:

"Ílo, ôlo, olá!"

Firme nos dois pés, gritou a plenos pulmões:

"Zízi, zúzi, zíque!"

A mágica começou então a funcionar. O céu escureceu e ouviu-se um estrondo no ar. Um adejar de asas, uma algazarra de vozes e risos e o sol despontou das sombras para revelar a Bruxa Má cercada por uma multidão de macacos, cada um ostentando um imenso e poderoso par de asas.

Um deles, maior do que os outros, parecia o líder. Ele voou para perto da Bruxa e disse:

"Você nos convocou pela terceira e última vez. O que ordena?"

"Encontrem os forasteiros que estão no meu reino e destruam todos, exceto o Leão", disse a Bruxa Má. "Tragam a fera para mim, pois quero colocá-lo em arreios como um cavalo, para que trabalhe para mim."

"Suas ordens serão obedecidas", disse o líder.

Então, fazendo uma balbúrdia danada, os Macacos Alados partiram até onde estavam Dorothy e seus amigos.

Alguns Macacos agarraram o Homem de Lata e o carregaram pelo ar até passarem por uma região coberta por rochas pontiagudas. Jogaram então o pobre Homem de Lata, que despencou nas pedras. A queda foi tão violenta, e o impacto nas rochas tão avassalador, que ele não conseguia se movimentar nem sequer gemer.

Outros Macacos pegaram o Espantalho e, com seus dedos compridos, arrancaram toda a palha. Fizeram uma trouxa com o chapéu, as botas e as roupas e jogaram nos galhos mais altos de uma imensa árvore.

Os demais Macacos atiraram cordas firmes em volta do Leão e prenderam seu corpo, sua cabeça e suas patas, impossibilitando-o de morder, arranhar ou se defender. Depois o ergueram pelo ar e o levaram para o castelo da Bruxa, onde o depositaram em um pequeno pátio, cercado por uma cerca alta de ferro, para que não escapasse.

Não encostaram em Dorothy. Ela ficou parada, com Totó no colo, acompanhando o triste destino de seus companheiros e achando que logo seria a sua vez. O líder dos Macacos Alados voou até ela, com seus braços espichados e cabeludos e exibindo um sorriso macabro na cara feia, mas ao ver a marca do beijo da Bruxa Boa na testa da menina, estacou e fez sinal para que os outros não tocassem nela.

"Não ousem tocar nesta garotinha", advertiu, "pois está protegida pelo Poder do Bem, que é maior do que o Poder do Mal. Só podemos capturá-la e levá-la para o castelo da Bruxa Má."

"Os Macacos prenderam o Leão."

Então, gentilmente e com muito cuidado, colocaram Dorothy no colo e a carregaram depressa pelo ar até o castelo, onde a deixaram na entrada. O líder então disse para a Bruxa:

"Obedecemos a suas ordens, na medida do possível. O Homem de Lata e o Espantalho foram destruídos e o Leão está preso no pátio. Nada pudemos fazer com a garotinha e o cachorro que ela carrega no colo. Seu poder sobre nós está encerrado e você jamais nos verá novamente."

Assim, os Macacos Alados partiram pelos ares, rindo e fazendo barulho, e logo desapareceram de vista.

A Bruxa Má ficou surpresa e preocupada ao mesmo tempo ao ver a marca na testa de Dorothy, pois sabia bem que nem os Macacos Alados nem ela ousariam fazer algum mal para a menina. Ela olhou para os pés de Dorothy e, ao ver os Sapatos de Prata, se pôs a tremer de medo, ciente de que possuíam um encantamento poderoso. A Bruxa ficou tentada a fugir de Dorothy, mas bastou olhar para os olhos da menina para ver a

simplicidade de sua alma. Percebeu então que a garotinha não fazia ideia do extraordinário poder que os Sapatos de Prata lhe conferiam. A Bruxa Má deu uma gargalhada e pensou: "Ainda posso transformá-la em minha escrava, pois ela não sabe usar seu poder". Disse então para Dorothy, com um tom áspero e severo:

"Venha comigo e me obedeça direitinho, ou vou acabar com você, como fiz com o Homem de Lata e o Espantalho."

Dorothy a seguiu pelos belos aposentos do castelo, até chegarem na cozinha, onde a Bruxa ordenou que limpasse as panelas e chaleiras, varresse o chão e reabastecesse a lareira com lenha.

Dorothy cumpriu as ordens com mansidão, disposta a trabalhar arduamente, aliviada que estava com a decisão da Bruxa de não a matar.

Com Dorothy empenhada em suas tarefas, a Bruxa resolveu ir ao pátio para colocar os arreios no Leão Covarde. Pensou que seria divertido colocá-lo para puxar sua carruagem sempre que ela quisesse dar um passeio. Mas assim que abriu o portão, o Leão rugiu bem alto e investiu contra ela tão ferozmente que a Bruxa, apavorada, saiu correndo e trancou o portão.

"Se não posso amarrá-lo", disse para o Leão, comunicando-se pelo vão da grade, "vou deixá-lo morrer de fome. Não comerá nada até que me obedeça."

Depois deste dia, não alimentou mais o Leão aprisionado, embora todo dia fosse até o portão e perguntasse:

"Está pronto para ser meu cavalo?"

E o Leão respondia:

"Não, e se você entrar aqui, vou te morder."

O motivo pelo qual o Leão podia se dar ao luxo de não ceder à chantagem da Bruxa era que, toda noite, enquanto a mulher estava dormindo, Dorothy lhe levava comida. Após o repasto, ele se acomodava em sua cama de palha e Dorothy deitava ao seu lado, encostando a cabeça na juba macia e desgrenhada, enquanto conversavam de seus problemas e tentavam arquitetar algum plano de fuga. Mas não conseguiam descobrir um modo de escapar do castelo, pois era vigiado dia e noite pelos amarelos Winkies, escravos da Bruxa Má, que morriam de medo dela e jamais iriam contrariar suas ordens.

A menina trabalhava pesado durante o dia e a Bruxa vivia ameaçando lhe bater com um velho guarda-chuva, que andava sempre com ela. Na verdade, não ousava encostar em Dorothy, graças à marca da testa. Como não sabia disso, a menina vivia com medo, não só por ela, mas também por Totó. Certa vez a Bruxa golpeou Totó com o guarda-chuva, mas o destemido cachorrinho se precipitou contra ela e mordeu-lhe a perna. A mordida não sangrou, pois a Bruxa era tão malvada que seu sangue secara nas veias há muitos e muitos anos.

A vida de Dorothy tornou-se demasiado triste, conforme entendia que seria mais difícil do que nunca voltar para o Kansas e rever sua tia Em. Às vezes chorava amargamente durante horas, com Totó sentado aos seus pés, fitando seu rosto e ganindo para mostrar que a tristeza de sua pequena dona também o entristecia. Para ele, não fazia diferença se estavam no Kansas ou no Reino de Oz, desde que Dorothy estivesse ao seu lado, mas sabia que a menina estava infeliz e aquilo também o deixava desconsolado.

A Bruxa Má queria porque queria os Sapatos de Prata que Dorothy jamais tirava dos pés. Suas abelhas, corvos e lobos jaziam mortos em pilhas e ela havia esgotado os poderes da Touca Dourada, mas se pudesse pegar os Sapatos de Prata, eles a concederiam mais poder do que todas as coisas que havia perdido. Vigiava Dorothy de perto, com a intenção de roubar-lhe os sapatos, caso ela os tirasse um dia. Mas a menina era muito afeiçoada aos seus belos sapatos e jamais os removia, a não ser à noite, quando tomava banho. A Bruxa tinha medo do escuro e por isso não ousava entrar no quarto de Dorothy à noite para furtar os sapatos, mas seu pavor de água era ainda maior, de modo que jamais se aproximava quando Dorothy estava tomando banho. Na verdade, a velha Bruxa jamais tocava em água, nem se deixava tocar por ela.

Mas a criatura malvada era muito ladina e, finalmente, bolou um plano para conseguir o que tanto queria. Colocou uma barra de ferro no meio do chão da cozinha e, usando seus poderes mágicos, a tornou invisível aos olhos humanos. Quando Dorothy passou por ela, tropeçou na barra e levou um tombo feio. Não chegou a se machucar muito, mas na queda um dos Sapatos de Prata escapuliu do pé e, antes que pudesse apanhá-lo, a Bruxa o afanou e o calçou em seu pé esquálido.

A mulher malvada ficou satisfeitíssima com o sucesso do truque, pois enquanto tivesse o sapato, detinha também metade de seus poderes mágicos e Dorothy não poderia usá-lo contra ela, mesmo se soubesse como.

A menina, ao ver que tinha perdido um dos seus lindos sapatos, ficou irritada e disse para a Bruxa:

"Devolva o meu sapato!"

"Não devolvo, não", retrucou a Bruxa, "e agora é meu sapato, não seu."

"Sua criatura malvada!", gritou Dorothy. "Você não tem direito de roubar meu sapato."

"Vou ficar com ele, mesmo assim", implicou a Bruxa, gargalhando, "e, dia desses, pego o outro também."

Aquilo deixou Dorothy tão furiosa que lançou mão do balde de água que estava ao seu alcance e o despejou em cima da Bruxa, encharcando-a da cabeça aos pés.

A mulher malvada deu um grito lancinante de pavor e então, enquanto Dorothy a contemplava aturdida, começou a encolher.

"Olhe o que você fez!", berrou. "Estou derretendo."

"Sinto muito, de verdade", disse Dorothy, sinceramente assustada ao constatar que a Bruxa estava, de fato, derretendo como açúcar diante de seus olhos.

"Você não sabia que a água era capaz de me destruir?", lamentou a Bruxa, num tom esganiçado de desespero.

"Lógico que não", respondeu Dorothy. "Como poderia saber?"

"Bem, já, já terei derretido por completo e você ficará com o castelo para você. Fui muito malvada, mas nunca pensei que uma garotinha como você fosse capaz de me derreter e colocar um fim às minhas maldades. Ai, ai... lá vou eu!"

Com essas palavras, a Bruxa reduziu-se a uma massa marrom, derretida e amorfa, que começou a se espalhar pelo piso da cozinha. Vendo que ela realmente derretera por completo, Dorothy encheu o balde de água mais uma vez e o entornou sobre o resquício da Bruxa. Em seguida, varreu o restante porta afora. Após apanhar o sapato de prata (tudo que restara da velha), ela o limpou e enxugou com uma flanela e o calçou novamente. Então, por fim livre para fazer o que quisesse, correu até o pátio para contar ao Leão que a Bruxa Má do Oeste fora aniquilada e que eles não eram mais prisioneiros em uma terra estranha.

Capítulo XIII.
O Resgate

O Leão Covarde ficou felicíssimo ao saber que a Bruxa Má tinha sido derretida por um balde d'água e Dorothy abriu o portão depressa, libertando-o de sua prisão. Entraram juntos no castelo, onde a primeira providência de Dorothy foi reunir os Winkies para anunciar que não eram mais escravos.

Os amarelos Winkies celebraram a notícia, pois durante muitos anos haviam sido forçados a trabalhar para a Bruxa Má, que sempre os tratara de maneira muito cruel. Decretaram então feriado e passaram o dia comemorando, com banquetes, música e dança.

"Se nossos amigos Espantalho e Homem de Lata estivessem conosco", disse o Leão, "minha alegria seria completa."

"Será que não conseguimos resgatá-los?", indagou a menina, aflita.

"Podemos tentar", respondeu o Leão.

Chamaram então os amarelos Winkies e pediram ajuda para resgatar seus amigos. Os Winkies afirmaram que seria um prazer e que fariam de tudo para auxiliar Dorothy, que os libertara da escravidão. Ela selecionou os Winkies que pareciam mais safos e eles partiram imediatamente. Viajaram um dia e meio até alcançarem a planície rochosa onde jazia o Homem de Lata, todo amassado. A lâmina do seu machado estava enferrujada e o cabo se partira com a queda.

Os Winkies o colocaram no colo com desvelo e o levaram de volta para o Castelo Amarelo. No caminho, Dorothy chorou algumas vezes por causa do estado lastimável do velho amigo. O Leão parecia sóbrio e compadecido. Quando chegaram no castelo, Dorothy disse aos Winkies:

"Vocês têm algum funileiro?"

"Temos, sim, excelentes", responderam.

"Então peçam que venham até aqui", disse ela.

Quando os funileiros se apresentaram, com suas ferramentas em cestas, ela indagou:

"Vocês podem consertar os amassados do Homem de Lata e o endireitar novamente, e soldar as partes soltas?"

Os Winkies examinaram o Homem de Lata e responderam que podiam consertá-lo, para que retornasse à sua antiga forma. Começaram então a trabalhar em um dos

"Trabalharam por três dias e quatro noites."

espaçosos quartos amarelos do castelo e lá permaneceram por três dias e quatro noites, martelando, desentortando, soldando, polindo e endireitando as pernas, o corpo e a cabeça do Homem de Lata, até que voltasse a ser o que era, com todas as juntas em ordem. É bem verdade que ficou cheio de remendos, mas os funileiros fizeram um excelente trabalho e como o Homem de Lata não era vaidoso, os remendos não o incomodaram em nada.

Quando ele finalmente surgiu no quarto de Dorothy para lhe agradecer pelo resgate, ficou tão contente que verteu lágrimas de alegria. A menina enxugou cada uma com cuidado, usando seu avental, para que ele não enferrujasse. Não pôde, no entanto, controlar seu próprio choro, tomada de emoção ao reencontrar seu velho amigo. O Leão também chorou e, de tanto enxugar os olhos com a ponta da cauda, a deixou encharcada e precisou ir até o pátio para secá-la ao sol.

"Se o Espantalho estivesse conosco", disse o Homem de Lata, depois que Dorothy relatou tudo que havia acontecido, "minha alegria seria completa."

"Precisamos encontrá-lo", disse a menina.

Ela pediu ajuda aos Winkies e eles caminharam um dia e meio até localizarem a árvore em cujos galhos os Macacos Alados haviam jogado as roupas do Espantalho. Era uma árvore muito alta e o tronco era tão liso que ninguém conseguia escalá-la, mas o Homem de Lata logo disse:

"Vou cortá-la e assim pegamos as roupas do Espantalho."

Enquanto os funileiros estavam ocupados consertando o Homem de Lata, um dos Winkies, que era ourives, fizera um cabo de ouro maciço e o encaixara no machado do Homem de Lata, para substituir o velho cabo quebrado. A lâmina também fora polida, para remover toda a ferrugem, e reluzia afiada em prata lustrosa.

O Homem de Lata começou a cortar e em pouco tempo a árvore tombou com um estrondo, derrubando as roupas do Espantalho, que caíram dos galhos e rolaram pelo chão.

Dorothy as apanhou e pediu que os Winkies as levassem de volta para o castelo, onde foram estofadas com palha nova e limpa e, surpresa!, lá estava o Espantalho de volta, são e salvo, agradecendo-os sem parar por salvarem sua vida.

Uma vez reunidos, Dorothy e seus amigos passaram alguns dias felizes no Castelo Amarelo, onde foram acolhidos com todo o conforto.

Um dia, porém, a menina recordou-se da tia Em e disse: "Precisamos voltar até Oz e exigir que cumpra sua promessa."

"Sim", concordou o Homem de Lata, "finalmente terei meu coração."

"E eu, meu cérebro", acrescentou o Espantalho, alegre.

"E eu, minha coragem", disse o Leão, pensativo.

"E eu voltarei para o Kansas!", exclamou Dorothy, batendo palmas. "Vamos partir amanhã mesmo para a Cidade de Esmeraldas!"

E assim foi decidido. No dia seguinte, reuniram os Winkies e se despediram deles. Os Winkies ficaram tristes ao vê-los partir; haviam se afeiçoado tanto ao Homem de Lata que imploraram para que ficasse para governar o Reino Amarelo do Oeste. Vendo que os forasteiros estavam mesmo determinados a partir, deram uma coleira de ouro para Totó, outra para o Leão e presentearam Dorothy com uma linda pulseira cravejada de diamantes. Ao Espantalho, ofereceram uma bengala com empunhadura de ouro, para evitar que tropeçasse. Já o Homem de Lata ganhou um frasco de óleo todo feito de prata, adornado com ouro e pedras preciosas.

Cada um dos viajantes fez um belo discurso de agradecimento aos Winkies e os apertos de mãos foram tantos, e tão efusivos, que nossos amigos partiram com dor no braço.

Dorothy abriu o armário da Bruxa para abastecer a cestinha com comida para a viagem e descobriu a Touca Dourada. Experimentou e viu que lhe servia com perfeição. A menina desconhecia a magia da Touca; achou-a bonita e decidiu usá-la, guardando seu outro chapéu na cestinha.

Prontos para a jornada, partiram em direção à Cidade de Esmeraldas. Os Winkies os saudaram três vezes e desejaram boa sorte a eles.

Capítulo XIV.
Os Macacos Alados

Vocês DEVEM RECORDAR que não havia nenhuma estrada — sequer uma trilha — entre o Castelo da Bruxa Má e a Cidade de Esmeraldas. Quando os quatro viajantes partiram em busca da Bruxa, ela os vira se aproximando e convocara os Macacos Alados para os capturarem. Refazer a pé o percurso pelos vastos campos de botões-de--ouro e margaridas amarelas era muito mais difícil do que ser carregado pelo ar. Sabiam que precisavam seguir reto rumo ao leste, em direção ao sol nascente, e começaram pelo caminho certo. Mas, ao meio-dia, com o sol a pino sobre suas cabeças, não conseguiam mais distinguir o leste do oeste e acabaram se perdendo na imensidão dos campos. Continuaram a caminhada mesmo assim e, à noite, a lua despontou no céu, iluminando a escuridão. Deitaram entre as flores amarelas

de doce fragrância e dormiram profundamente até a manhã seguinte — o Espantalho e o Homem de Lata, como sempre, ficaram acordados.

Na manhã seguinte, o céu estava encoberto, mas seguiram viagem como se soubessem para onde iam.

"Se continuarmos caminhando", disse Dorothy, "tenho certeza de que vamos chegar lá."

Mas os dias transcorreram sem que vissem nada no horizonte além dos campos escarlates. O Espantalho começou a se queixar:

"Tenho certeza de que nos perdemos", disse, "e, se não conseguirmos encontrar o caminho a tempo de alcançarmos a Cidade de Esmeraldas, não terei meu cérebro."

"Nem eu o meu coração", declarou o Homem de Lata. "Mal posso esperar para rever Oz, mas temos que admitir que é uma jornada muito longa."

"Sabe," resmungou o Leão Covarde, "me falta coragem para ficar andando sem rumo para sempre, sem jamais chegar a um destino."

O MÁGICO DE OZ

Dorothy então foi tomada pelo desânimo. Sentou-se na relva e fitou seus companheiros que, por sua vez, sentaram-se também e a fitaram de volta. Totó percebeu que, pela primeira vez na vida, estava cansado demais para correr atrás de uma borboleta que voara sobre sua cabeça. Com a língua para fora, olhou esbaforido para Dorothy, como se questionando o que fariam em seguida.

"E se chamarmos os ratos do campo?", sugeriu ela. "Talvez soubessem nos informar o caminho para a Cidade de Esmeraldas."

"Mas é claro!", exclamou o Espantalho. "Como não pensamos nisso antes?"

Dorothy soprou o apito que trazia em volta do pescoço desde que a Rainha dos Ratos o dera. Em poucos minutos, ouviram o ruído das minúsculas patinhas e diversos ratinhos cinzentos surgiram, correndo em sua direção. Vinham acompanhados pela Rainha, que indagou com sua voz estridente:

"O que posso fazer pelos meus amigos?"

"Estamos perdidos", disse Dorothy. "Você pode nos dizer qual o caminho para a Cidade de Esmeraldas?"

"Claro", respondeu a Rainha, "mas é bem longe." Notando então a Touca Dourada de Dorothy, indagou: "Por que não usa a mágica da Touca e convoca os Macacos Alados? Eles os levarão para a Cidade de Oz em menos de uma hora".

"Não sabia que tinha uma mágica!", exclamou Dorothy, surpresa. "Qual é?"

"Está escrita dentro da Touca Dourada", respondeu a Rainha dos Ratos. "Mas se for chamar os Macacos Alados, temos que dar no pé, pois eles são travessos e adoram implicar conosco."

"Será que vão me machucar?", perguntou a menina, aflita.

"Não vão, não. São obrigados a obedecer quem está usando a Touca. Adeus!", despediu-se e saiu em disparada com os ratinhos apressados atrás de si.

Dorothy examinou a parte interna da Touca Dourada e viu uma inscrição na costura, que deduziu serem as palavras mágicas. Leu com atenção e colocou a Touca novamente na cabeça.

"Épe, pépe, káque!", exclamou equilibrando-se no pé esquerdo.

"O quê?", perguntou o Espantalho, que não sabia o que ela estava fazendo.

"Ílo, ôlo, olá!", prosseguiu Dorothy, apoiando-se desta vez no pé direito.

"Olá!", respondeu calmamente o Homem de Lata.

"Zízi, zúzi, zíque!", concluiu Dorothy, agora ancorada nos dois pés. Mal acabara de pronunciar as palavras mágicas e ouviram uma algazarra, acompanhada por um som de bater de asas, e um grupo de Macacos Alados pairou no ar sobre eles.

O Rei curvou-se perante Dorothy e perguntou:

"Em que posso ajudá-la?"

"Queremos ir para a Cidade de Esmeraldas", respondeu a menina, "mas estamos perdidos."

"Os Macacos pegaram Dorothy no colo e saíram voando com ela."

"Vamos carregá-los", disse o Rei e, prontamente, dois Macacos pegaram Dorothy no colo e saíram voando com ela. Outros repetiram o gesto com o Espantalho, o Homem de Lata e o Leão, e um Macaco menorzinho apanhou Totó e voou atrás deles, embora o cão tentasse mordê-lo a todo custo.

No início, o Espantalho e o Homem de Lata ficaram um pouco assustados, lembrando como os Macacos Alados haviam maltratado eles antes. Porém, ao perceberem que não queriam lhes fazer mal, aproveitaram o voo alegremente, contemplando do alto os belos jardins e bosques lá embaixo.

Dorothy foi transportada suavemente pelos dois Macacos maiores, um deles o próprio Rei. Haviam feito uma cadeira improvisada com as mãos e cuidavam para ela não se machucar.

"Por que vocês obedecem ao feitiço da Touca Dourada?", perguntou ela.

"É uma longa história", respondeu o Rei, rindo, "mas, como ainda temos um longo caminho pela frente, posso lhe contar, se você quiser."

"Adorarei ouvi-la", respondeu ela.

"Antigamente", começou o líder, "éramos um povo livre e vivíamos felizes na floresta, voando de árvore em árvore, comendo nozes e frutas e fazendo o que bem entendíamos, sem sermos comandados por ninguém. É bem verdade que alguns entre nós eram um pouco implicantes às vezes: desciam para puxar o rabo dos animais que não tinham asas, perseguiam aves e atiravam nozes nas pessoas que atravessavam a floresta. Mas levávamos uma existência despreocupada, feliz, cheia de diversões e aproveitávamos cada minuto do dia. Isso foi há muitos e muitos anos, bem antes de Oz surgir das nuvens para governar esta terra.

"Naquela época, morava ao Norte uma linda princesa, que também era uma feiticeira muito poderosa. Ela empregava seus poderes mágicos para ajudar as pessoas e vivia em um palácio esplendoroso, inteirinho de rubi. Todos a amavam, mas sua maior tristeza era não conseguir encontrar um companheiro, pois todos os homens eram ignorantes e feios demais para se casarem com alguém tão bela e sábia.

"Por fim, ela encontrou um menino belo, viril e muito maduro para sua idade. Gayelette resolveu então que, quando ele se tornasse um homem adulto, o tomaria como marido e o levou para seu palácio de rubi. Lá, usou toda sua magia para torná-lo tão forte, honrado e adorável quanto qualquer mulher desejaria. Dizem que, quando adulto, Quelala era o melhor e mais sábio homem de todo o reino e tão belo que Gayelette, apaixonada, apressou-se para realizar os preparativos para o casamento.

"Meu avô era o Rei dos Macacos Alados e vivia na floresta próxima ao palácio de Gayelette. Ele era um tipo brincalhão, que não perdia uma piada. Um dia, um pouco antes do casamento, meu avô estava voando com seu bando quando avistou Quelala passeando à beira do rio. O rapaz usava um rico traje de seda rosa e veludo roxo e meu avô resolveu pregar-lhe uma peça. Ao seu comando, o bando desceu, capturou Quelala e o carregou até o meio do rio, onde o largou na água.

"'Meu elegante rapaz', gritou meu avô, 'é melhor nadar para fora da água ou vai estragar suas roupas.' Quelala era muito esperto para ficar parado, mas não perdeu seu bom humor. De volta à superfície, riu e se pôs a nadar até a margem. Mas quando Gayelette veio correndo em sua direção, logo notou que o rio arruinara os trajes de seda e veludo de seu amado.

"A princesa ficou furiosa e logo adivinhou o autor da traquinagem. Convocou então todos os Macacos Alados e anunciou que teriam suas asas amarradas, para que fossem tratados como haviam tratado Quelala, e atirados no rio. Mas meu avô suplicou para que ela não fizesse aquilo, pois sabia que se fossem jogados no rio com as asas amarradas, morreriam afogados. Quelala também intercedeu por eles e Gayelette decidiu afinal

poupá-los, com a condição de que, dali em diante, os Macacos Alados seriam obrigados a obedecer ao dono da Touca Dourada.

"Essa Touca tinha sido confeccionada como presente de casamento para Quelala e dizem que custou à princesa metade de seu reino. Obviamente, meu avô e os demais Macacos concordaram na mesma hora e foi assim que nos tornamos escravos de quem possuir a Touca, seja quem for, e obrigados a realizar três de seus desejos."

"E o que aconteceu com eles?", perguntou Dorothy, que ficara bastante interessada na história.

"Bom, o primeiro dono da Touca Dourada foi Quelala", respondeu o Macaco, "e, sendo assim, foi também o primeiro a ter seus desejos realizados. Como sua mulher não suportava nos ver, ele nos chamou na floresta depois do casamento e pediu que mantivéssemos sempre uma distância, para que ela nunca mais avistasse um Macaco Alado novamente — o que cumprimos de bom grado, pois tínhamos muito medo dela.

"Isso foi tudo que nos foi exigido, até a Touca Dourada cair nas mãos da Bruxa Má do Oeste, que nos obrigou a escravizar os Winkies e depois a expulsar o próprio Oz daquelas bandas. Agora a Touca Dourada é sua e você tem o direito de fazer três pedidos."

Quando o Rei dos Macacos terminou de contar sua história, Dorothy olhou para baixo e avistou as muralhas verdes e brilhantes da Cidade de Esmeraldas. Ficou admirada com a rapidez do voo, mas satisfeita pela jornada ter chegado ao fim. As estranhas criaturas aterrissaram os viajantes cuidadosamente diante do portão da Cidade, e o Rei curvou-se em solene reverência para Dorothy, antes de partir depressa, seguido pelo seu grupo.

"Foi um bom passeio", comentou a menina.

"Sim, e uma maneira rápida de resolver nosso problema", respondeu o Leão. "Que sorte você ter trazido essa Touca maravilhosa!"

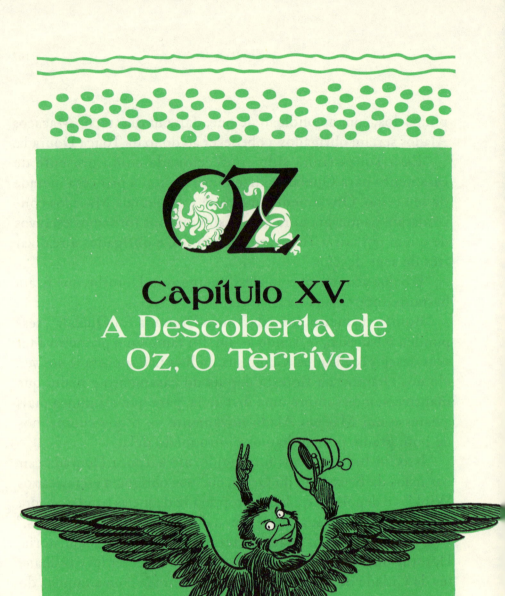

Capítulo XV.
A Descoberta de Oz, O Terrível

Os quatro viajantes caminharam até o imenso portão da Cidade de Esmeraldas e tocaram o sino, que soou diversas vezes até o Guardião — o mesmo que os recebera antes — vir até a porta.

"O quê! Vocês, novamente?", indagou surpreso.

"Não está nos vendo?", perguntou o Espantalho.

"Mas achei que tinham ido atrás da Bruxa Má do Oeste."

"E fomos", respondeu o Espantalho.

"E ela deixou vocês escaparem mais uma vez?", perguntou o homem, admirado.

"Não teve outra opção, pois foi derretida", explicou o Espantalho.

"Derretida! Ora, mas que ótima notícia", disse o sujeito. "E quem a derreteu?"

"Dorothy", respondeu o Leão, muito sério.

"Ora, vejam só!", exclamou o homem, curvando-se solene diante da menina.

Conduziu-os então até o vestíbulo e mais uma vez prendeu os óculos tirados do baú em cada um dos visitantes. Em seguida, eles atravessaram o portão e adentraram a Cidade de Esmeraldas. Ao ouvirem o Guardião do Portão contando que Dorothy havia derretido a Bruxa Má do Oeste, os habitantes locais cercaram o grupo, que foi seguido pela multidão até o Palácio de Oz.

O soldado com bigodes verdes permanecia vigiando a porta, mas permitiu que entrassem imediatamente. Foram recebidos, como da vez anterior, pela bela moça verde, que encaminhou cada um aos seus velhos aposentos, para que pudessem descansar até que Oz estivesse pronto para recebê-los.

O soldado avisou Oz de que Dorothy e seus amigos haviam regressado, após destruírem a Bruxa Má, mas Oz não disse nada. Imaginaram que o Grande Mágico fosse querer vê-los imediatamente, mas não foi o que aconteceu. No dia seguinte, ele permaneceu em silêncio, bem como no próximo e no outro depois. A espera era tediosa e cansativa e, por fim, ficaram magoados por Oz tratá-los com tamanho descaso, após terem enfrentado poucas e boas por sua causa. O Espantalho então pediu à moça verde que mandasse um recado para Oz, dizendo que se não os recebesse imediatamente, eles convocariam os Macacos Alados para ajudá-los a descobrir se o Mágico mantinha ou não suas promessas. Ao ouvir tal recado, Oz ficou tão assustado que mandou avisar que iria recebê-los no Salão do Trono no dia seguinte, às nove e quatro da manhã. Conhecera os Macacos Alados no Oeste certa vez e não tinha nenhuma intenção de voltar a encontrá-los.

Os quatro viajantes passaram a noite em claro, cada um pensando no que Oz lhes prometera. Dorothy cochilou apenas uma vez e sonhou que regressara ao Kansas, onde tia Em lhe dizia estar muito contente por ter sua menininha de volta.

Na manhã seguinte, às nove em ponto, o soldado de bigodes verdes foi buscá-los e quatro minutos depois foram admitidos no Salão do Trono do Grande Oz. Cada um esperava ver o Mágico no formato que se apresentara para eles anteriormente e ficaram muito surpresos quando, ao olharem ao seu redor, não avistaram ninguém no salão. Aguardaram rentes à porta, muito próximos uns dos outros, pois a quietude do salão vazio era mais apavorante do que qualquer uma das formas que haviam visto Oz adotar.

Ouviram então uma voz solene, que parecia vir de algum lugar próximo à claraboia:

"Eu sou Oz, o Grande e Terrível. Por que vieram me procurar?"

Olharam à sua volta e, ao não avistar ninguém, Dorothy perguntou:

"Onde você está?"

"Estou em toda parte" respondeu a Voz, "mas, aos olhos dos meros mortais, sou invisível. Vou me sentar ao trono agora, para que possam falar comigo." A Voz realmente parecia vir do trono, de modo que se aproximaram. Dorothy então disse:

"Ó Oz, viemos para que cumpra suas promessas."

"Quais promessas?", indagou Oz.

"O senhor prometeu me mandar de volta para o Kansas depois que a Bruxa Má fosse destruída", respondeu a menina.

"E me prometeu um cérebro", acrescentou o Espantalho.

"E a mim, um coração", relembrou o Homem de Lata.

"E prometeu me dar coragem", afirmou o Leão Covarde.

"A Bruxa Má foi realmente destruída?", perguntou a Voz, com o que Dorothy julgou ser um discreto tremor.

"Foi", respondeu. "Eu a derreti com um balde de água."

"Olhe só", disse a Voz, "tão depressa! Bem, venham me ver amanhã, preciso de tempo para pensar."

"O senhor já teve bastante tempo para pensar", rebateu o Homem de Lata, irritado.

"Não vamos esperar nem mais um dia", disse o Espantalho.

"O senhor tem que cumprir suas promessas!", exigiu Dorothy.

O Leão, pensando que assustar o Mágico poderia ser uma boa estratégia, emitiu um rugido retumbante, tão feroz e assustador que fez Totó fugir sobressaltado. Em sua fuga, o cachorrinho acabou esbarrando em um biombo que ficava no canto do salão. O biombo tombou num estrondo, atraindo os olhares dos companheiros. O que viram então os deixou boquiabertos: escondido atrás do biombo, havia um velhinho careca todo enrugado, que parecia tão espantado quanto eles. O Homem de Lata, erguendo seu machado, correu na direção do sujeito e gritou:

"Quem é você?"

"Eu sou Oz, o Grande e Terrível", respondeu o homenzinho, com a voz trêmula. "Mas não me machuque, por favor… Faço o que vocês quiserem."

Nossos amigos o fitaram, em estado de choque.

"Pensei que Oz fosse uma Cabeça gigantesca", disse Dorothy.

"Pensei que Oz fosse uma linda Dama", falou o Espantalho.

"Pensei que Oz fosse uma Fera terrível", comentou o Homem de Lata.

"Pensei que Oz fosse uma Bola de Fogo!", exclamou o Leão.

"Exatamente! Sou uma farsa!"

"Não, estão todos enganados", disse o velho, muito humilde. "Era tudo faz de conta."

"Faz de conta!", gritou Dorothy. "O senhor não é um Grande Mágico?"

"Fale baixo, minha querida", disse ele. "Se alguém escutar, estou arruinado. Todos acham que sou um Grande Mágico."

"E o senhor não é?", indagou ela.

"Nem um pouco, minha querida. Sou apenas um homem comum."

"É mais do que isso", concluiu o Espantalho, com descontentamento na voz. "O senhor é uma farsa."

"Exatamente!", exclamou o velho, esfregando as mãos como se satisfeito com a palavra. "Sou uma farsa!"

"Mas isso é terrível", comentou o Homem de Lata. "Como vou ganhar um coração?"

"E eu, minha coragem?", perguntou o Leão.

"E meu cérebro?", lamentou o Espantalho, enxugando as lágrimas com a manga do casaco.

"Meus caros amigos", disse Oz, "por favor não se atenham a tais miudezas agora. Pensem em mim, e em como estarei em apuros se for descoberto."

"Ninguém mais sabe que o senhor é uma farsa?", indagou Dorothy.

"Não, só vocês quatro… e eu mesmo", respondeu Oz. "Enganei a todos por tanto tempo que nunca imaginei ser descoberto. Foi um erro ter permitido a entrada de vocês no Salão do Trono. Normalmente, não recebo ninguém e todos supõem que sou assustador."

"Não consigo entender", disse Dorothy, atazanada. "Como foi que apareceu para mim como uma Cabeça gigantesca?"

"Usando um de meus truques", respondeu Oz. "Venham comigo, por favor, vou lhes contar tudo."

Ele então os conduziu até um pequeno vestíbulo atrás do Salão do Trono. Lá, apontou para um dos cantos, onde jazia a Cabeça enorme, feita de papel e pintada para parecer um rosto.

"Penduro no teto com um cabo", explicou Oz. "Fico atrás do biombo e vou controlando os fios, para mexer os olhos e abrir a boca."

"Mas e a voz?", questionou Dorothy.

"Sou ventríloquo", respondeu o velhinho. "Consigo projetar minha voz para onde quiser. Por isso você achou que estava vindo da Cabeça. Aqui estão os outros disfarces que usei para tapeá-los." Ele mostrou ao Espantalho o vestido e a máscara que usara para fingir que era uma linda Dama. O Homem de Lata viu também que a Fera terrível não passava de um emaranhado de diversas peles costuradas umas nas outras. A Bola de Fogo também fora pendurada no teto. Era na verdade uma bola de algodão que, encharcada com óleo, ardia em chamas.

"Francamente", disse o Espantalho, "o senhor deveria se envergonhar por ser uma farsa de marca maior."

"Não tenha dúvidas de que me envergonho, e bastante", lamentou o velhinho, "mas não tive outra opção. Sentem-se, por favor, tem cadeiras para todos. Vou lhes contar a minha história."

Eles se acomodaram e ouviram o seguinte relato:

"Nasci em Omaha…"

"É pertinho do Kansas!", exclamou Dorothy.

"Sim, mas muito distante daqui", respondeu, balançando a cabeça com ar triste. "Quando cresci, tornei-me ventríloquo e fui treinado por um grande mestre. Consigo imitar qualquer ave, qualquer animal." Ele miou de forma tão convincente que Totó ergueu as orelhas e olhou ao seu redor, tentando localizar um gatinho. "Com o passar do tempo", prosseguiu Oz, "cansei da profissão e resolvi me tornar um baloeiro."

"O que é isso?", perguntou Dorothy.

"A pessoa que sobe em um balão nas noites de circo, para atrair o público e convencê-las a pagar para ver o espetáculo", explicou.

"Ah", disse ela, "sei o que é."

"Bem, um belo dia, quando subi no balão, as cordas se embaralharam todas e não consegui mais descer. O balão ergueu-se acima das nuvens e uma corrente de ar o carregou para longe, por quilômetros e quilômetros de distância. Durante um dia e uma noite inteira, fui transportado pelo ar. Na manhã do segundo dia, acordei e vi que o balão sobrevoava uma região muito estranha, mas mesmo assim, belíssima.

"O balão foi descendo aos poucos e não me machuquei nadinha. Mas me vi entre um povo desconhecido que, ao me virem descendo das nuvens, me tomaram como um grande Mágico. Deixei que pensassem que eu era, de fato, pois tiveram medo de mim e prometeram obedecer a todas minhas ordens.

"Para me entreter, e também para manter essa boa gente ocupada, ordenei que construíssem esta cidade e o meu Palácio, o que fizeram de bom grado, e com muita competência. Tive então a ideia de batizá-la de Cidade de Esmeraldas, pois a região era muito verde e bela. Para fazer jus ao nome, ordenei que todos usassem óculos com lentes esverdeadas, para que tudo que vissem tivesse essa cor."

"Mas tudo aqui é verde, não é?", indagou Dorothy.

"Não mais do que em outro lugar qualquer", respondeu Oz, "mas quando se usa óculos verdes, tudo parece verde. A Cidade de Esmeraldas foi construída há muitos anos, pois eu ainda era jovem quando o balão me trouxe pra cá. Agora já estou velho, mas meu povo usa óculos verdes há tanto tempo que a maioria pensa que esta é realmente uma Cidade de Esmeraldas. Decerto é um lugar muito belo, rico em joias e metais preciosos, com tudo que as pessoas precisam para ser felizes. Sou bom para eles, gostam de mim. Mas desde que este Palácio foi construído, me isolei aqui dentro e nunca permiti que me vissem.

"Um dos meus maiores medos eram as Bruxas. Embora eu não tivesse nenhum poder mágico, logo descobri que elas eram capazes de realizar feitos extraordinários. Eram quatro e governavam os povos do Norte, do Sul, do Leste e do Oeste. Por sorte, as Bruxas do Norte e do Sul eram boas e eu sabia que não me fariam nenhum mal. Mas as Bruxas do Leste e do Oeste eram terrivelmente más e, não fosse a ilusão de que eu era mais poderoso do que elas, não tenho dúvidas de que teriam me destruído. Mantive-me recluso então, com pavor mortal delas por muitos anos, de modo que vocês podem imaginar qual não foi minha alegria ao saber que sua casa, Dorothy, havia caído em cima da Bruxa Má do Leste. Quando você veio me procurar, estava disposto a prometer qualquer coisa para que matasse a outra Bruxa. Mas, agora que você a derreteu, é com muita vergonha que confesso que não tenho como cumprir minhas promessas."

"O senhor é um homem muito mau", disse Dorothy.

"Não sou, não, minha querida, sou um homem muito bom. Mas um péssimo Mágico, devo admitir."

"Não pode me arrumar um cérebro?", indagou o Espantalho.

"Você não precisa de um. Todos os dias, aprende algo novo. Um bebê tem cérebro, mas não sabe grande coisa. A única maneira de acumular conhecimento é pela experiência, e quanto mais tempo tiver de vida, mais experiências terá."

"Isso pode até ser verdade", disse o Espantalho, "mas se o senhor não providenciar um cérebro para mim, vou ficar muito triste."

O falso Mágico olhou para ele atentamente.

"Bem", suspirou, "não sou um mágico de mão cheia, como expliquei para vocês, mas se você voltar amanhã, te darei um cérebro. Só não posso te dizer como usá-lo; você terá que descobrir sozinho."

"Muito obrigado, muitíssimo obrigado!", exclamou o Espantalho. "Encontrarei um modo de fazer bom uso dele, pode ter certeza!"

"Mas e a minha coragem?", perguntou o Leão, ansioso.

"Você já tem bastante", respondeu Oz. "Tudo que precisa é de confiança em si mesmo. Não há neste mundo uma única criatura viva que não sinta medo ao se deparar com o perigo. A verdadeira coragem está em enfrentá-lo mesmo estando com medo; coragem que nunca lhe faltou."

"Talvez eu até a tenha, mas sinto medo, mesmo assim", disse o Leão. "Vou ficar arrasado se não me der aquele tipo de coragem que nos faz esquecer que estamos com medo."

"Está bem, eu lhe darei esse tipo de coragem amanhã", respondeu Oz.

"E o meu coração?", indagou o Homem de Lata.

"Ora, em relação a isso", ponderou Oz, "acho que você está muito enganado em querer um coração. Eles causam um baita sofrimento à maioria das pessoas. Se ao menos soubesse como é sortudo por não ter um..."

"Isso é uma questão de opinião", retrucou o Homem de Lata. "Estou disposto a suportar qualquer sofrimento sem jamais me queixar, desde que o senhor me dê um coração."

"Está certo", respondeu Oz, muito humilde. "Volte amanhã e terá um. Fingi ser Mágico por tantos anos, não custa nada fingir mais um pouquinho."

"Mas e eu?", indagou Dorothy. "Como vou poder voltar para o Kansas?"

"Vamos ter que pensar em uma maneira", respondeu o homem. "Dê-me mais uns dois ou três dias para estudar o assunto e vou tentar encontrar um jeito para lhe ajudar a atravessar o deserto. Enquanto isso, serão tratados como meus convidados e, enquanto viverem no Palácio, meu povo vai lhes servir e obedecer a todos os seus desejos. Peço apenas uma coisa em troca da ajuda que darei: vocês têm que guardar meu segredo e não podem contar para ninguém que sou uma farsa."

Todos concordaram em não revelar o que haviam descoberto a respeito do Mágico e retornaram aos seus aposentos muito animados. Até mesmo Dorothy tinha esperanças de que "O Grande e Terrível Charlatão", como o apelidara, encontrasse um modo de mandá-la de volta para o Kansas — e, se ele conseguisse, ela estava disposta a perdoá-lo por todas as farsas.

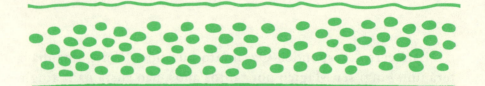

OZ

Capítulo XVI.
A Mágica do Grande Charlatão

Na manhã seguinte, o Espantalho disse para seus amigos:

"Podem me felicitar. Estou indo ter com Oz, para finalmente receber meu cérebro. Quando voltar, serei como qualquer outro homem."

"Sempre gostei de você do jeitinho que você é", disse Dorothy.

"É muita gentileza sua gostar de um Espantalho", respondeu ele. "Mas estou certo de que vai gostar ainda mais quando ouvir os pensamentos admiráveis que terei com meu cérebro novo."

Assim, despediu-se dos amigos com euforia e partiu em direção ao Salão do Trono, onde bateu à porta.

"Entre", disse Oz.

O Espantalho obedeceu e encontrou o velhinho sentado sob a janela, absorto em pensamentos.

"Vim para receber meu cérebro", pleiteou o Espantalho, um pouco constrangido.

"Claro, claro; sente-se nesta cadeira, por gentileza", respondeu Oz. "Peço desculpas por ter de arrancar sua cabeça, mas preciso fazer isso para colocar seu cérebro no lugar."

"Tudo bem", assegurou o Espantalho. "Pode arrancar minha cabeça à vontade, desde que a substitua por uma melhor."

O Mágico removeu então a cabeça do Espantalho e esvaziou sua palha. Entrou no cômodo dos fundos e apanhou um punhado de folhas secas, que misturou com pregos e parafusos. Depois de ter mexido tudo, encheu a cabeça do Espantalho e completou o espaço vazio com palha, para manter tudo no lugar.

Depois de prender novamente a cabeça do Espantalho no corpo, ele disse:

"A partir de agora, serás um grande homem, pois lhe concedi um cérebro novinho em folha e com todos os parafusos no lugar."

O Espantalho, satisfeito e orgulhoso com a realização de seu maior desejo, agradeceu a Oz calorosamente e regressou para seus amigos.

Dorothy o fitou, curiosa. A cabeça estava de fato mais protuberante no cocuruto, indicando a presença do cérebro.

"Como você está se sentindo?", perguntou ela.

"Muito sábio", respondeu seríssimo. "Quando me acostumar com meu cérebro, saberei todas as coisas."

"Por que sua cabeça parece tão dura?", indagou o Homem de Lata.

O MÁGICO DE OZ

"Para mostrar que não tem miolo mole", comentou o Leão.

"Bem, devo ir até Oz para buscar meu coração", disse o Homem de Lata. Dirigiu-se então até o Salão do Trono e bateu à porta.

"Entre", disse Oz. O Homem de Lata entrou e disse:

"Vim buscar meu coração."

"Certo", disse o velhinho. "Mas terei que fazer um buraco no seu peito, para colocar o coração no lugar certo. Espero não o machucar."

"Ah, de modo algum", retorquiu o Homem de Lata. "Não vou sentir nadinha."

Oz então apanhou uma cisalha e fez uma pequena cavidade quadrada no lado esquerdo do peito do Homem de Lata. Então, abrindo a gaveta de uma cômoda, removeu um lindo coração de seda, recheado com serragem.

"Não é uma lindeza?", perguntou ele.

"Lindíssimo!", concordou o Homem de Lata, eufórico. "Mas é um bom coração?"

"Muito!", respondeu Oz. Ele colocou o coração no peito do Homem de Lata e depois repôs o revestimento de metal, soldando-o de volta.

"Prontinho", disse ele, "agora você tem um coração do qual todo homem poderia se orgulhar. Sinto muito por ter feito um remendo em seu peito, mas foi inevitável."

"O remendo é o de menos", disse o Homem de Lata, realizado. "Sou muito grato ao senhor e jamais esquecerei sua gentileza."

"Não precisa agradecer", disse Oz.

O Homem de Lata então voltou para seus amigos, que muito o felicitaram por sua afortunada conquista.

Foi a vez do Leão dirigir-se até o Salão do Trono e bater à porta.

"Entre", disse Oz.

"Vim buscar minha coragem", anunciou o Leão, entrando no aposento.

"Certo", disse o velhinho. "Deixe-me trazê-la para você."

Ele caminhou até um armário e alcançou uma garrafa verde quadrada na prateleira mais alta. Despejou seu conteúdo em uma tigela dourada-esverdeada, lindamente entalhada. Serviu-a diante do Leão Covarde, que a farejou de cara feia, como se não gostasse do cheiro.

"Tome-a", disse o Mágico.

"O que é isso?", perguntou o Leão.

"Bem", explicou Oz, "se estivesse em você, seria coragem. Você na certa já ouviu falar que às vezes na vida é preciso tomar coragem. Sendo assim, aconselho-o a tomá-la o quanto antes."

O Leão não hesitou nem mais um segundo e tomou tudo, até esvaziar a tigela.

"Como está se sentindo agora?", indagou Oz.

"Cheio de coragem!", exclamou o Leão, que regressou extasiado para seus amigos, ansioso para contar a boa nova.

Finalmente a sós, o Mágico sorriu ao pensar que fora bem-sucedido ao dar ao Espantalho, ao Homem de Lata e ao Leão exatamente o que acreditavam desejar. "Como posso evitar ser uma farsa", pensou, "quando as pessoas me obrigam a fazer coisas que todos sabem que são impossíveis? Foi fácil deixar o Espantalho, o Homem de Lata e o Leão felizes, pois imaginavam que eu pudesse fazer qualquer coisa. Mas vou precisar de mais do que simples imaginação para levar Dorothy de volta para o Kansas e minha única certeza até agora é que não faço ideia de como farei isso."

"Vim para receber meu cérebro."

Capítulo XVII.
O Lançamento do Balão

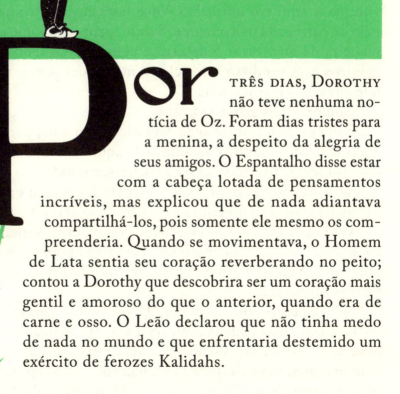

Por três dias, Dorothy não teve nenhuma notícia de Oz. Foram dias tristes para a menina, a despeito da alegria de seus amigos. O Espantalho disse estar com a cabeça lotada de pensamentos incríveis, mas explicou que de nada adiantava compartilhá-los, pois somente ele mesmo os compreenderia. Quando se movimentava, o Homem de Lata sentia seu coração reverberando no peito; contou a Dorothy que descobrira ser um coração mais gentil e amoroso do que o anterior, quando era de carne e osso. O Leão declarou que não tinha medo de nada no mundo e que enfrentaria destemido um exército de ferozes Kalidahs.

Assim, estavam todos satisfeitos, exceto Dorothy, que desejava mais do que nunca voltar para o Kansas.

No quarto dia, ficou feliz ao ser chamada por Oz. Quando entrou no Salão do Trono, ele a recebeu com alegria:

"Sente-se, minha querida, acho que encontrei uma maneira de tirar você daqui."

"De volta ao Kansas?", perguntou ela, ansiosa.

"Bem, não tenho certeza", admitiu Oz, "pois não tenho a menor ideia de como chegar lá. Mas a primeira coisa a fazer é atravessar o deserto. Depois, vai ser fácil encontrar seu caminho para casa."

"Como faço para atravessar o deserto?", indagou ela.

"Bom, vou lhe contar minha ideia", disse ele. "Como você sabe, vim parar aqui em um balão. Você também veio transportada pelo ar, carregada pelo ciclone. Sendo assim, acho que a melhor maneira de atravessar o deserto é pelo ar. Não tenho poderes mágicos para produzir um ciclone, mas andei pensando e acho que consigo fazer um balão."

"Como?", quis saber Dorothy.

"Balões são feitos de seda revestida com cola, para manter o gás lá dentro. Tenho bastante seda aqui no Palácio, de modo que não será difícil montar o balão. Mas, em toda esta terra, não há gás suficiente para preenchê-lo, para fazer com que suba."

"Se não subir", comentou Dorothy, "não servirá para nada."

"Verdade", concordou Oz. "Mas existe outra maneira, que é enchendo o balão com ar quente. Não é tão bom quanto o gás, pois se o ar esfriar, o balão pode cair no deserto e nós vamos ficar perdidos lá."

"Nós?", perguntou a menina. "O senhor vai comigo?"

"Ora essa, mas é claro", retrucou Oz. "Estou cansado de ser uma farsa. Se eu sair do Palácio, será uma questão de tempo para que meu povo descubra que não sou um Mágico. As pessoas vão ficar chateadas comigo, por tê-las enganado. Então sou obrigado a ficar trancafiado aqui o dia inteiro, o que é muito entediante. Prefiro mil vezes voltar para o Kansas com você e retomar meu trabalho no circo."

"Vou ficar feliz em ter o senhor comigo", disse Dorothy.

"Obrigado", respondeu ele. "Agora, se você me ajudar a emendar a seda, podemos começar a trabalhar no nosso balão."

Dorothy apanhou linha e agulha e começou a costurar as tiras de seda com a mesma rapidez com que Oz as recortava no tamanho ideal: primeiro, uma seda verde-clara, depois uma escura e, por fim, esmeralda. Oz queria fazer o balão em diferentes tons de verde. Levaram três dias para costurar todas as emendas, mas quando terminaram, o balão tinha mais de seis metros de comprimento.

Oz então revestiu o interior do tecido com uma camada fina de cola, para deixá-lo hermético, e anunciou que o balão estava finalmente pronto.

"Mas precisamos de um cesto", disse ele. Ordenou então que o soldado de bigodes verdes buscasse um cesto bem grande de roupas e o prendeu com várias cordas no fundo do balão.

Com tudo pronto, Oz mandou avisar o povo de que estava indo visitar seu irmão, outro Mágico, que morava nas nuvens. Logo a notícia se espalhou pela cidade e todos se reuniram para ver o lindo espetáculo.

Oz ordenou que o balão fosse levado para a frente do Palácio e as pessoas acompanharam os preparativos com muita curiosidade. O Homem de Lata cortou uma vasta pilha de lenha e ateou fogo. Oz posicionou os fundos do balão sobre a fogueira, para que o ar quente pudesse entrar no tecido de seda. Aos poucos, o balão foi enchendo até se erguer no ar, com o cesto rente ao chão.

Oz entrou no cesto e declarou em voz alta para a multidão que os cercava:

"Estou indo fazer uma visita. Na minha ausência, o Espantalho vai governá-los. Ordeno que o obedeçam como obedeceriam a mim."

A corda que prendia o balão ao solo já estava bem retesada, pois o ar que o inflava estava quente, tornando-o mais leve do que o ar externo e fazendo com que quisesse alçar voo aos céus.

"Venha, Dorothy!", gritou o Mágico. "Depressa, o balão está subindo."

"Não estou achando Totó", respondeu Dorothy, que não queria partir sem seu cachorrinho. Totó correra pela multidão atrás de um filhote de gato e Dorothy custou a encontrá-lo. Finalmente, o pegou no colo e correu até o balão.

Estava a poucos passos e Oz estendeu as mãos para ajudá-la a subir no cesto, mas, de repente — pá! — as cordas arrebentaram e o balão subiu sem ela.

"Volte!", gritou. "Quero ir também!"

"Não posso voltar, minha querida", gritou Oz de dentro do cesto. "Adeus!"

"Adeus!", gritaram todos, com os olhos fixos no balão que subia com Oz em seu cesto, erguendo-se cada vez mais alto no céu.

Foi a última vez que viram Oz, o Mágico, embora é possível que ele tenha voltado para Omaha em segurança e esteja lá, até onde sabemos. O povo o lembraria para sempre com carinho e os habitantes de sua cidade diriam uns aos outros:

"Oz sempre foi nosso amigo. Quando esteve aqui, construiu esta linda Cidade de Esmeraldas para nós e agora que se foi, deixou o sábio Espantalho para nos governar."

Não obstante, sofreram a perda do Grande Mágico por muitos dias e nada e nem ninguém podia consolá-los.

OZ

Capítulo XVIII.
Rumo ao Sul

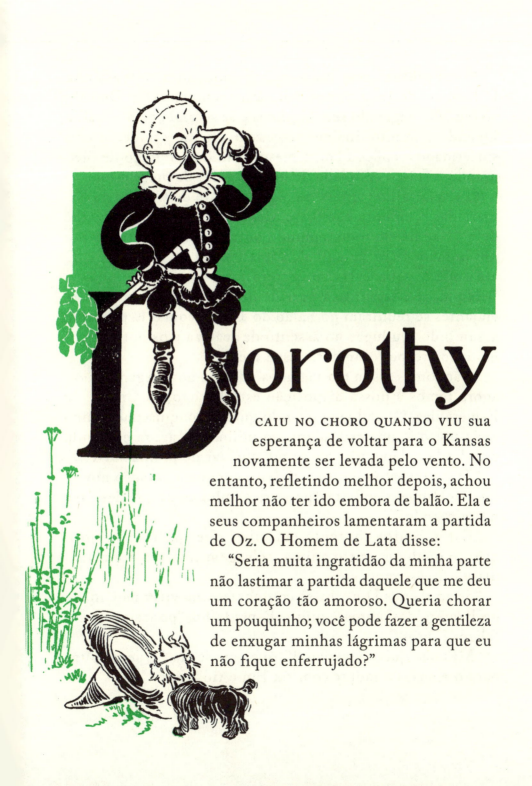

Dorothy

CAIU NO CHORO QUANDO VIU sua esperança de voltar para o Kansas novamente ser levada pelo vento. No entanto, refletindo melhor depois, achou melhor não ter ido embora de balão. Ela e seus companheiros lamentaram a partida de Oz. O Homem de Lata disse:

"Seria muita ingratidão da minha parte não lastimar a partida daquele que me deu um coração tão amoroso. Queria chorar um pouquinho; você pode fazer a gentileza de enxugar minhas lágrimas para que eu não fique enferrujado?"

"Com prazer", respondeu ela, apanhando uma toalhinha. O Homem de Lata chorou por vários minutos, com Dorothy ao seu lado, vigiando suas lágrimas e as secando com a toalha. Quando o pranto finalmente cessou, ele lhe agradeceu com sinceridade e aplicou em si mesmo um bom reforço de óleo, usando o frasco cravejado de joias, à guisa de precaução.

O Espantalho tornara-se o governante da Cidade de Esmeraldas e, embora não fosse Mágico, o povo tinha orgulho dele. "Não há em todo o mundo outra cidade governada por um homem feito de palha", comentavam os habitantes. E, até onde se sabe, estavam corretos.

Na manhã seguinte à partida de Oz no balão, os quatro viajantes se reuniram no Salão do Trono, com o Espantalho assumindo seu lugar no assento da realeza e os outros acomodados respeitosamente à sua frente.

"Não fomos assim tão azarados", disse o novo regente, "pois agora temos à nossa disposição este Palácio e a Cidade de Esmeraldas. Quando me recordo que há pouquíssimo tempo vivia preso a uma estaca em um milharal e agora comando esta linda cidade, não posso me queixar de minha sorte."

"Também estou muito satisfeito com meu coração novo", disse o Homem de Lata, "pois era a única coisa que desejava neste mundo."

"Estou muito contente em saber que sou tão corajoso quanto qualquer outro animal selvagem... talvez até mais", disse o Leão, modesto.

"Se ao menos Dorothy se contentasse em viver na Cidade de Esmeraldas", prosseguiu o Espantalho, "poderíamos ser felizes juntos."

"Mas não quero viver aqui", queixou-se ela. "Quero voltar para o Kansas e morar com tia Em e tio Henry."

"O Espantalho pôs-se a pensar."

"Bem, o que podemos fazer, então?", indagou o Homem de Lata.

O Espantalho pôs-se a pensar e pensou tanto que fez pular os parafusos de dentro do cérebro. Por fim, disse:

"Por que não chamamos os Macacos Alados e pedimos para que a transporte pelo deserto?"

"Não tinha pensado nisso!", exclamou Dorothy, animada. "Ótima ideia. Vou buscar a Touca Dourada imediatamente."

Dorothy voltou com a Touca para o Salão do Trono e entoou as palavras mágicas em voz alta. Sem demora, o bando de Macacos Alados voou pela janela aberta, pairando ao seu lado.

"Esta é a segunda vez que você nos chama", disse o Rei dos Macacos, curvando-se diante da menina. "Qual o seu desejo?"

"Quero que me transportem até o Kansas", ordenou Dorothy.

O Rei dos Macacos, porém, sacudiu a cabeça em um gesto negativo.

"Isso é impossível", disse ele. "Pertencemos a este país e não podemos deixá-lo. Nenhum Macaco Alado jamais esteve no Kansas e creio que há de ser sempre assim,

O MÁGICO DE OZ

pois não é nosso lugar. Teremos prazer em atender qualquer outro pedido, dentro de nossas possibilidades, mas não podemos atravessar o deserto. Adeus."

Curvando-se novamente, o Rei dos Macacos abriu as asas e voou pela janela, seguido pelo seu bando.

Dorothy, inconsolada, estava prestes a cair no choro.

"Gastei um dos três pedidos à toa", lamentou, "pois os Macacos Alados não podem me ajudar."

"É mesmo uma lástima", disse o compassivo Homem de Lata.

O Espantalho estava concentrado em seus pensamentos, a cabeça tão estufada que Dorothy teve medo que fosse estourar.

"Vamos chamar o soldado de bigodes verdes", disse ele, "e pedir seu conselho."

O soldado foi convocado e adentrou timidamente o Salão do Trono, pois, nos tempos de Oz, jamais cruzara sequer a porta.

"Esta menina", disse o Espantalho, "quer atravessar o deserto. Como pode fazer a travessia?"

"Não sei dizer", respondeu o soldado, "pois ninguém jamais cruzou o deserto, a não ser o próprio Oz."

"Não há alguém que possa me ajudar?", perguntou Dorothy, muito séria.

"Glinda, talvez", sugeriu ele.

"Quem é Glinda?", indagou o Espantalho.

"A Bruxa do Sul. É a mais poderosa de todas e governa os Quadlings. Além disso, o castelo dela fica na fronteira com o deserto, então ela talvez saiba como atravessá-lo."

"Glinda é uma Bruxa Boa, não é?", perguntou a menina.

"Os Quadlings acham que sim", disse o soldado, "e ela é gentil com todo mundo. Ouvi dizer que Glinda é uma linda mulher, que permanece jovem apesar de já ter vivido muitos e muitos anos."

"Como faço para chegar ao castelo dela?", perguntou Dorothy.

"A estrada segue direto para o Sul", explicou, "mas dizem que é repleta de perigos para os viajantes. Muitos animais selvagens nas florestas e uma raça de humanos esquisitos, que não gostam nada de estrangeiros em suas terras. É por este motivo que nenhum Quadling jamais ousou visitar a Cidade de Esmeraldas."

Depois que o soldado se retirou do aposento, o Espantalho disse:

"Parece que, a despeito do perigo, a melhor alternativa para Dorothy é viajar para o Sul e pedir ajuda para Glinda. Se ficar aqui, está claro que não poderá nunca mais voltar para casa."

"Você está fazendo bom uso do cérebro", comentou o Homem de Lata.

"Estou, sim", disse o Espantalho.

"Vou com Dorothy", declarou o Leão, "pois estou cansado da cidade e não vejo a hora de voltar para a floresta. Como vocês sabem, sou um animal selvagem. Além do mais, Dorothy vai precisar de alguém que a proteja."

"Isso é verdade", concordou o Homem de Lata. "Meu machado pode lhe ser útil, de modo que vou com ela para o Sul também."

"Quando partimos?", perguntou o Espantalho.

"Você vai conosco?", indagaram eles, surpresos.

"Claro. Se não fosse por Dorothy, não teria um cérebro. Ela me resgatou da estaca no milharal e me trouxe até a Cidade de Esmeraldas. Devo a ela toda minha boa sorte e não sairei do seu lado até que esteja sã e salva no Kansas novamente."

"Muito obrigada", disse Dorothy, muito grata. "Vocês são tão gentis comigo. Podemos partir o quanto antes?"

"Vamos amanhã, bem cedo", estipulou o Espantalho. "Agora precisamos nos preparar, pois teremos uma longa viagem pela frente."

Na manhã seguinte, Dorothy disse adeus à linda menina verde e todos eles se despediram do soldado de bigode verde, que os acompanhou até o portão. O Guardião ficou bobo ao vê-los partir, pois não conseguia entender como podiam deixar aquela bela Cidade para entrar em apuros novamente. Removeu os óculos dos companheiros, colocou-os de volta na caixa verde e desejou que fizessem boa viagem.

"Você é nosso governante agora", disse para o Espantalho, "então deve regressar o quanto antes."

"Farei isso assim que puder", respondeu o Espantalho, "mas, primeiro, preciso ajudar Dorothy a voltar para casa."

Ao se despedir do amistoso Guardião, Dorothy disse:

"Fui muito bem tratada em sua adorável cidade, senhor, e todos foram extremamente gentis comigo. Não tenho palavras para agradecer."

"Não tem de quê, minha menina", respondeu ele. "Gostaríamos muito que ficasse conosco, mas se deseja voltar para o Kansas, espero que encontre um caminho." Assim dizendo, abriu o portão externo e os quatro companheiros partiram em sua jornada.

Com o céu ardendo sobre suas cabeças, nossos amigos partiram rumo ao Sul. Estavam bem-dispostos, rindo e conversando muito. Dorothy recuperara a esperança de conseguir voltar para casa e o Espantalho e o Homem de Lata estavam contentes por lhe serem úteis. Quanto ao Leão, respirava com prazer o ar fresco e balançava o rabo, felicíssimo por estar de volta à natureza. Totó corria de um lado para o outro, caçando mariposas e borboletas, latindo alegremente.

"Não fui feito para a vida urbana", comentou o Leão, enquanto avançavam em vigorosa caminhada. "Perdi muito peso desde que nos mudamos para cá e agora não vejo a hora de ter uma oportunidade para mostrar aos outros animais como estou corajoso."

Voltando-se para trás, lançaram um derradeiro olhar para a Cidade de Esmeraldas. Tudo que conseguiam avistar eram as torres e os campanários, despontando por trás dos muros verdes, e no topo de seu horizonte, os pináculos e a cúpula do Palácio de Oz.

"Oz não era um mau Mágico, no fim das contas", disse o Homem de Lata, sentindo o coração chacoalhar em seu peito.

"Soube me dar um cérebro, e um cérebro excelente, por sinal", disse o Espantalho.

"Se tivesse tomado uma dose da coragem que me deu", ponderou o Leão, "teria sido um homem audaz."

Dorothy não disse nada. Oz não havia cumprido a promessa que lhe fizera, mas fizera o possível e, por isso, ela o perdoara. Como o próprio Oz dissera, era um bom homem, embora fosse um Mágico ruim.

O primeiro dia de viagem foi pelos campos verdejantes e repletos de flores que circundavam a Cidade de Esmeraldas. Adormeceram na grama, sob as estrelas, e tiveram uma ótima noite de sono.

"Os galhos o capturaram."

Na manhã seguinte, caminharam até uma floresta cerrada. Não era possível contorná-la, pois parecia se alastrar para os dois lados, até onde a vista alcançava. Os companheiros também não ousavam mudar o trajeto, pois tinham medo de se perder. Puseram-se então a examinar a melhor maneira para adentrar a floresta.

Finalmente, o Espantalho (que estava liderando o grupo), encontrou uma árvore portentosa com galhos enormes, da qual poderiam passar por baixo. Avançou em direção à árvore, mas assim que se aproximou dos primeiros galhos, eles se curvaram e o capturaram, erguendo-o o do chão e o atirando de cabeça contra seus companheiros.

Embora não tivesse se machucado, o Espantalho tomou um susto e parecia zonzo quando Dorothy o ajudou a se levantar.

"Vejam, aqui tem outra entrada entre as árvores", disse o Leão.

"Deixem-me tentar primeiro", disse o Espantalho, "pois não vou me machucar se for atacado novamente." Ele mal se aproximou de outra árvore e seus galhos o agarraram e o arremessaram longe.

"Que estranho!", exclamou Dorothy. "E agora, o que vamos fazer?"

"Acho que as árvores vão continuar nos atacando, tentando impedir nossa jornada", disse o Leão.

"Deixem-me tentar", disse o Homem de Lata. Com o machado no ombro, ele caminhou até a primeira árvore que havia atacado o Espantalho. Quando um de seus galhos se curvou para capturá-lo, o Homem de Lata o cortou com tamanha força que o galho se partiu em dois. A árvore logo começou a sacudir, como se estivesse sentindo dor, e o Homem de Lata pôde passar tranquilamente.

"Venham", gritou. "Depressa!"

Os companheiros saíram correndo e passaram sem acidentes, com exceção de Totó, que foi capturado por um galho menor que o sacudiu até fazê-lo uivar. Mas o Homem de Lata logo cortou o galho, libertando assim o cãozinho.

As demais árvores da floresta nada fizeram para detê-los, o que os levou a concluir que apenas a primeira fileira de árvores era capaz de inclinar seus galhos. Deviam ser uma espécie de guarda da floresta, dotada com tal poder para impedir a entrada de forasteiros.

Os quatro amigos avançaram tranquilamente pelas árvores, até alcançarem o limite do bosque. Lá, para sua surpresa, se depararam com uma muralha alta, que parecia feita de porcelana branca. Era lisa, como a superfície de um prato, e mais alta do que suas cabeças.

"E agora?", indagou Dorothy.

"Vou fazer uma escada", disse o Homem de Lata, "pois precisamos escalar esta muralha de qualquer jeito."

OZ
Capítulo XX.
A Delicada Cidade de Porcelana

Enquanto o Homem de Lata construía uma escada com a madeira encontrada na floresta, Dorothy deitou e adormeceu, pois estava exausta após o longo percurso. O Leão também se aninhou para cochilar, com Totó ao seu lado.

O Espantalho, acompanhando o trabalho do Homem de Lata, comentou:

"Não consigo imaginar por que esta muralha está aqui, nem de que é feita."

"Descanse a cabeça e não se preocupe com a muralha", respondeu o Homem de Lata. "Vamos atravessá-la e então descobriremos o que tem do outro lado."

A escada finalmente ficou pronta. Parecia meio desajeitada, mas o Homem de Lata garantiu que era firme e serviria bem. O Espantalho acordou Dorothy, o Leão e Totó e avisou que a escada estava pronta. O primeiro a subir foi o Espantalho, mas subiu de modo tão atabalhoado que Dorothy precisou ir logo atrás, para evitar que ele caísse. Quando alcançou o topo e pôde olhar por cima da muralha, ele exclamou:

"Uau!"

"Vamos!", exclamou Dorothy.

O Espantalho escalou mais um pouco e sentou-se na muralha. Quando Dorothy alcançou o topo, exclamou: "Uau!", assim como o Espantalho antes dela.

Totó subiu em seguida, pôs-se a latir imediatamente e Dorothy precisou acalmá-lo.

O Leão escalou depois e o Homem de Lata por último; ambos exclamaram "Uau!" assim que vislumbraram o que havia do outro lado. Sentados sobre a muralha, contemplaram uma vista peculiar.

À sua frente, descortinava-se uma região revestida por um material liso, branco e reluzente, como o fundo de uma imensa travessa de louça. Havia diversas casas feitas inteiramente de porcelana e pintadas em cores vivas. As casas eram bem pequenas: a maior delas devia bater na cintura de Dorothy. Havia também pequenos e graciosos celeiros, delimitados por cercas de porcelana, onde avistaram vacas, ovelhas, cavalos, porcos e galinhas, todos de porcelana também.

Mas o mais curioso eram os habitantes daquela estranha cidade. Havia ordenhadoras de leite e pastorinhas, usando corpetes coloridos e vestidos dourados, princesas com majestosos trajes prateados, roxos e dourados, pastores com calções listrados em rosa, amarelo e azul na altura dos joelhos, calçando sapatos com fivelas douradas; príncipes com coroas cravejadas de joias, de mantos de arminho e gibões de cetim; e palhaços

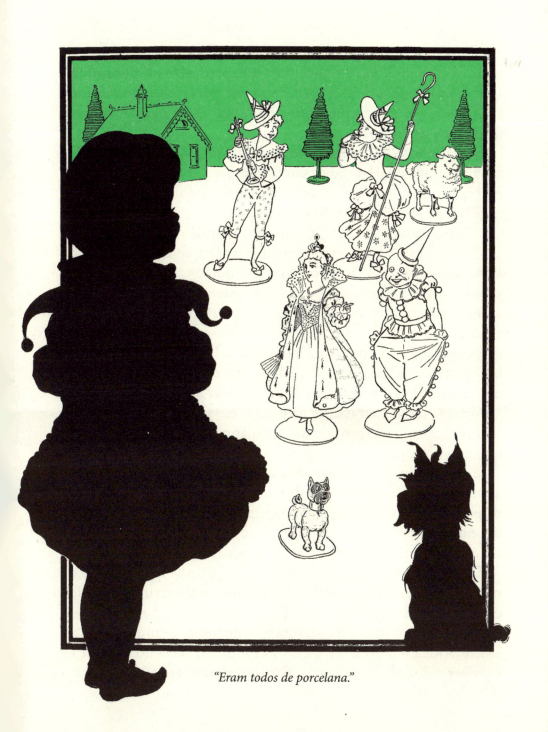

"Eram todos de porcelana."

engraçados com roupas cheias de babados, com círculos vermelhos pintados nas bochechas e chapéus altos e pontudos.
E, o mais extraordinário, eram todos de porcelana, até mesmo
suas roupas, e tão pequeninos que o mais alto não alcançava
os joelhos de Dorothy.

Inicialmente, ninguém olhou para os forasteiros, exceto um
cãozinho roxo de porcelana com uma cabeça grande demais para
o corpo, que correu até a muralha, saudou-os com um latido
esganiçado e saiu correndo novamente.

"Como vamos descer?", perguntou Dorothy.

Como a escada era pesada demais para que a erguessem, o
Espantalho pulou primeiro e sugeriu que os outros pulassem
sobre ele, para que o piso duro não machucasse seus pés. Os
amigos saltaram com cuidado, para não aterrissarem na cabeça do Espantalho e se machucarem com as farpas do recheio
que Oz colocara lá dentro. Depois de se levantarem, ajudaram
o Espantalho a ficar de pé e, visto que estava todo achatado,
deram tapinhas em seu corpo para moldar a palha novamente.

"Vamos ter que atravessar este lugar esquisito se pretendemos
manter nosso trajeto rumo ao Sul", anunciou Dorothy. "Acho
que não seria prudente mudarmos nossos planos."

Começaram a caminhar pela cidade e a primeira coisa que
avistaram foi uma camponesa de porcelana, ordenhando uma vaca
de porcelana também. Quando o grupo se aproximou, a vaca deu
um pinote, derrubando o banquinho, o balde e a menina. Foram
todos ao chão, com um barulho de louça se quebrando.

Dorothy ficou chocada ao ver que a vaca tinha quebrado uma
pata, o balde estava em pedaços e a pobre menina tinha lascado
o cotovelo esquerdo.

"Olhem só o que vocês fizeram!", gritou a menina, furiosa.
"Minha vaca quebrou a pata e vou ter que levá-la no conserto,
para ser colocada novamente. Por que vieram até aqui assustar
minha vaca?"

"Sinto muito", retrucou Dorothy. "Por favor, nos perdoe."

Mas a bela leiteira estava muito irritada para falar algo. Com ar de poucos amigos, recolheu a pata da vaca e saiu puxando o pobre animal, que avançou mancando. Ao se afastar, a menina lançou vários olhares de reprovação para os desajeitados forasteiros, segurando seu cotovelo lascado contra o peito.

Dorothy ficou arrasada com o incidente.

"Precisamos ter muito cuidado aqui", disse o bondoso Homem de Lata, "para não machucarmos esses serezinhos tão bonitos de maneira irreparável."

Caminharam mais um pouco e Dorothy avistou uma jovem Princesa, que usava trajes suntuosos. A moça estacou assim que se deparou com os estranhos e saiu em disparada.

Dorothy, que queria vê-la de perto, saiu correndo atrás da Princesa. Mas a moça de porcelana gritou, em uma voz tão assustada que alarmou Dorothy:

"Não corra atrás de mim!"

"Por quê?", perguntou Dorothy.

"Porque, se correr também, posso cair e me quebrar toda", respondeu a moça, mantendo uma distância segura.

"Mas não poderiam te consertar e colar os pedaços de volta?"

"Até poderiam, mas não somos mais os mesmos depois de quebrar uma vez."

"Acho que tem razão", disse Dorothy.

"Veja o sr. Coringa, um dos nossos palhaços", prosseguiu a moça de porcelana. "Ele vive tentando plantar bananeira. Já se quebrou tantas vezes que tem mais de cem remendos e não ficou nada bonito. Lá vem ele; você poderá ver por si mesma."

O animado palhaço de fato se aproximava delas e Dorothy logo reparou que, apesar de suas roupas alegres em tons de vermelho, amarelo e verde, era todo coberto de remendos, que mostravam que havia sido consertado inúmeras vezes. O Palhaço enfiou a mão nos bolsos e, após fazer caras e bocas para elas, recitou:

"Cara dama, por que reprova

Este aqui, pobre palhaço?

Uma moça assim, tão nova,

De coraçãozinho de aço"

"Mais compostura, senhor!", disse a Princesa. "Não vê que são estrangeiros e devem ser saudados com um aperto de mãos?"

"E que tal um aperto de pés?", perguntou o Palhaço, equilibrando-se de ponta-cabeça.

"Não ligue para o sr. Coringa", disse a Princesa para Dorothy. "Não bate bem da cabeça, por isso é assim."

"Não ligo nem um pouco", respondeu Dorothy. "Você é tão bonita", prosseguiu, "tenho certeza de que adoraria tê-la comigo. Posso te levar para o Kansas, para colocar sobre a lareira da tia Em? Eu poderia carregá-la na minha cestinha."

O MÁGICO DE OZ 213

"Isso me faria muito infeliz", respondeu a Princesa de porcelana. "Sabe, aqui podemos viver contentes, falamos e nos movimentamos como bem entendemos. Mas quando nos tiram daqui, nossas juntas logo enrijecem e não nos resta nada a fazer a não ser ficar imóveis, como belos objetos decorativos. É claro que é isso que esperam de nós quando nos colocam em cornijas, armários e mesas, mas nossas vidas são muito mais agradáveis aqui na nossa terra."

"A última coisa que desejo é fazê-la infeliz!", exclamou Dorothy. "Sendo assim, só me resta lhe dar adeus."

"Adeus", respondeu a Princesa.

Seguiram viagem, avançando com cautela pela cidade de porcelana.

Os animaizinhos e os moradores escapavam assim que os viam, temendo que os forasteiros os quebrassem; após mais ou menos uma hora, alcançaram os limites da cidade e se depararam com outra muralha de louça. Como não era tão alta quanto a anterior, tudo que precisaram fazer foi subir nas costas do Leão e, com um leve esforço, alcançaram o topo. O Leão deu um impulso e pulou a muralha; no salto, porém, bateu sem querer com o rabo em uma igrejinha de porcelana e a estilhaçou em pedaços.

"Que catástrofe", disse Dorothy, "mas, dos males o menor: ainda bem que só quebramos a perna de uma vaca e destruímos uma igreja. Eles são tão frágeis!"

"Realmente", concordou o Espantalho, "ainda bem que sou feito de palha e não me machuco à toa. Agora vejo que existem coisas piores neste mundo do que ser um Espantalho."

Capítulo XXI.
O Leão se Torna o Rei da Floresta

Nossos

amigos desceram da muralha de porcelana e se viram em uma região desagradável, repleta de pântanos e brejos, coberta por grama alta e selvagem. Era dificílimo caminhar sem cair em buracos lamacentos, pois a grama era tão espessa que os encobria. No entanto, com muita cautela, conseguiram cruzar a área em segurança, até alcançarem solo firme novamente. A região parecia ainda mais agreste e, após uma longa e exaustiva caminhada, adentraram outra floresta, onde as árvores eram maiores e mais antigas do que todas as que haviam visto antes.

"Que floresta magnífica", declarou o Leão, olhando encantado ao redor. "É o lugar mais bonito que já vi."

"Achei sombria", comentou o Espantalho.

"Nem um pouco", retrucou o Leão. "Gostaria de morar aqui para sempre. Veja a profusão de folhas secas sob nossos pés e como o musgo nas velhas árvores é encorpado e verdinho. Não consigo imaginar melhor morada para um animal selvagem."

"Alguns devem morar aqui", disse Dorothy.

"Imagino que sim", comentou o Leão, "mas não estou vendo nenhum."

Caminharam pela floresta até que ficou escuro demais para que pudessem prosseguir. Dorothy, Totó e o Leão deitaram para dormir, enquanto o Homem de Lata e o Espantalho ficaram de vigília, como de costume.

No dia seguinte, partiram ao raiar do sol. Não tinham avançado muito, quando ouviram um barulho, como o rugido de animais selvagens. Totó ganiu, mas nenhum dos companheiros se assustou; continuaram pela trilha até alcançarem uma clareira, onde estavam reunidos centenas de animais de todos os tipos. Havia tigres, elefantes, ursos, lobos, raposas e todos os representantes da história natural. Por um instante, Dorothy ficou assustada. Mas o Leão explicou que os animais estavam reunidos em assembleia e, a julgar pelos grunhidos e rugidos, o assunto parecia grave.

Ao ouvirem sua voz, alguns bichos o avistaram e todos se calaram imediatamente, como num passe de mágica. O maior dos tigres se aproximou, curvou-se diante do Leão e disse:

"Seja bem-vindo, ó Rei da Floresta! Chegou em boa hora para combater nosso inimigo e restaurar a paz para todos os animais da floresta."

"O que está acontecendo?", indagou o Leão, muito calmo.

"Estamos sendo ameaçados", respondeu o tigre, "por um inimigo feroz que tem invadido a floresta. É um monstro terrível, como uma aranha gigante, com o corpo do tamanho de um elefante e as patas imensas como troncos de árvores. Ele tem oito patas e, quando se desloca pela floresta, captura os animais com uma delas, leva-os à boca e os devora como as aranhas fazem com as moscas. Nenhum de nós estará a salvo enquanto essa criatura medonha viver, por isso convocamos uma reunião para decidir o que podemos fazer para nos proteger. Estávamos justamente discutindo o assunto quando você chegou."

O Leão refletiu por um instante.

"Existem outros leões na floresta?", indagou.

"Não mais, o monstro comeu todos. Mas nenhum deles era grande e corajoso como você."

"Se eu aniquilar este inimigo, vocês vão se curvar e me obedecer como Rei da Floresta?", perguntou o Leão.

"Com prazer", respondeu o tigre. Os outros animais também rosnaram, exclamando: "Vamos!".

"Onde está a tal aranha agora?", perguntou ele.

"Para lá, entre os carvalhos", respondeu o tigre, apontando com a pata.

"Cuide bem dos meus amigos", disse o Leão. "Vou combater o monstro imediatamente."

Assim dizendo, despediu-se de seus companheiros e marchou intrépido para a batalha com o inimigo.

A aranha gigante estava adormecida quando o Leão a encontrou e era tão horrenda que ele franziu o focinho, enojado. As patas eram enormes, como o tigre contara, e seu corpo era todo coberto por uma espessa pelagem preta A bocarra exibia presas pontudas de quase trinta centímetros; um pescocinho fino como uma cintura de vespa prendia a cabeça ao corpo maciço. O Leão teve uma ideia de como atacar a criatura e, sabendo que era mais fácil combatê-la enquanto estivesse adormecida, deu um salto e aterrissou nas costas do monstro. Com um único safanão de sua pesada pata, armada com garras afiadas, ele arrancou a cabeça da aranha. Descendo do corpo do monstro, observou até que as compridas patas parassem de se contorcer e certificou-se de que estava mesmo morto.

Regressou então para a clareira, onde os animais da floresta o aguardavam, e anunciou orgulhosamente:

"Vocês não precisam mais temer o inimigo."

Os animais se curvaram diante do Leão, reconhecendo-o como líder. Ele prometeu retornar assim que Dorothy conseguisse voltar para o Kansas e assumir seu lugar como Rei da Floresta.

Capítulo XXII.
A Terra dos Quadlings

Os QUATRO VIAJANTES percorreram o resto da floresta em segurança e, ao deixarem sua atmosfera lúgubre para trás, logo avistaram uma colina íngreme, coberta de rochedos.

"Não será uma escalada fácil", disse o Espantalho, "mas não temos outra opção a não ser atravessar a colina."

Assim, ele foi na frente e os outros o seguiram. Tinham vencido o primeiro rochedo quando ouviram uma voz rouca rosnar:

"Para trás!"

"Quem está aí?", perguntou o Espantalho.

Uma cabeça despontou por trás do rochedo e respondeu com o mesmo tom rouco:

"Esta colina é nossa e não permitimos que ninguém a atravesse."

"Mas não temos outra opção", explicou o Espantalho. "Estamos indo para a terra dos Quadlings."

"Não por aqui!", insistiu a voz. Então o sujeito mais esquisito que nossos amigos já tinham visto na vida saiu de trás do rochedo.

Era baixinho, atarracado e tinha uma cabeça avantajada, chata no cocuruto e presa ao corpo por um pescoço grosso coberto de rugas. Mas não tinha braços e, ao ver isso, o Espantalho se tranquilizou: como uma criatura tão indefesa poderia impedi-los de escalar a colina?

"Sinto muito por contrariá-lo, mas precisamos atravessar sua colina, quer você goste da ideia ou não", disse e avançou destemido.

Rápido como um raio, o homem projetou sua cabeça para a frente e esticou o pescoço até que seu cocuruto pudesse atingir o Espantalho em cheio; nosso amigo tombou e rolou colina abaixo. A cabeça voltou para o lugar com a mesma rapidez que se desprendeu dele e o homem gargalhou, exclamando:

"Não será assim tão fácil!"

Um coro de gargalhadas ruidosas ecoou dos outros rochedos e Dorothy viu centenas de Cabeças de Martelo sem braços em toda a extensão da colina, escondidos atrás de cada um dos rochedos.

O Leão ficou irritadíssimo ao ouvi-los rir do Espantalho e, soltando um rugido feroz que retumbou como trovão, arremeteu colina acima.

Com a mesma rapidez de antes, a cabeça o atacou e o poderoso Leão despencou colina abaixo como se tivesse sido atingido por uma bola de canhão.

Dorothy correu para acudir o Espantalho, e o Leão, machucado e dolorido, subiu até eles e disse:

"É inútil lutar contra Cabeças de Martelo, ninguém é páreo para eles."

"O que vamos fazer agora?", perguntou ela.

"Chame os Macacos Alados", sugeriu o Homem de Lata. "Você ainda tem direito a mais um pedido."

"É inútil lutar contra Cabeças de Martelo."

"Boa ideia", respondeu, colocando a Touca Dourada na cabeça e pronunciando as palavras mágicas. Os Macacos acudiram prontamente, como de costume, e em questão de segundos o bando inteiro pairava à sua frente.

"Qual seu desejo?", indagou o Rei dos Macacos, se curvando.

"Queremos atravessar a colina, para chegarmos à terra dos Quadlings", respondeu a menina.

"Assim será feito", respondeu o Rei e, no mesmo instante, os Macacos Alados ergueram os quatro companheiros e Totó em seus braços e voaram. Enquanto transpunham a colina, os Cabeças de Martelo gritavam irados, lançando suas cabeças o mais alto que podiam pelo ar, mas não conseguiam alcançar os Macacos Alados, que transportaram Dorothy e seus amigos em segurança até a encantadora terra dos Quadlings.

"Esta foi a última vez que você pôde nos chamar", disse o líder para Dorothy, "então adeus e boa sorte."

"Adeus e muito obrigada", agradeceu a menina. Os Macacos levantaram voo e desapareceram em um piscar de olhos.

A terra dos Quadlings parecia próspera e feliz. Havia uma profusão de campos férteis, estradas bem pavimentadas e lindos riachos, interligados por sólidas pontes. As cercas, as casas e as pontes eram todas pintadas de vermelho-vivo, assim como eram amarelas na terra dos Winkies e azuis na dos Munchkins. Os Quadlings — que eram baixinhos, gordinhos e pareciam simpáticos — também estavam todos vestidos de vermelho, fazendo um vívido contraste com a grama verdinha e os campos amarelados de trigo.

Os Macacos deixaram os viajantes próximos a uma casa; os quatro andaram até a entrada e bateram à porta. A esposa do fazendeiro atendeu e quando Dorothy pediu algo para comer, a mulher ofereceu a todos um farto lanche, com três tipos de bolo, quatro tipos de biscoito e uma tigela de leite para Totó.

"O Castelo de Glinda fica muito longe daqui?", perguntou a menina.

"Não muito", disse a mulher do fazendeiro. "Sigam ao Sul e logo estarão lá."

Agradecendo a boa mulher, retomaram sua jornada, cruzando pelos campos e atravessando as graciosas pontes, até depararem com um magnífico Castelo.

Diante dos portões havia três moças, de garbosos uniformes vermelhos com debruns dourados. Ao virem Dorothy se aproximar, uma delas disse, dirigindo-se a ela:

"Por que veio para as terras do Sul?"

"Para ter com a Bruxa Boa que aqui governa", respondeu a menina. "Poderia, por gentileza, nos levar até ela?"

"Digam-me seu nome e vou perguntar a Glinda se pode recebê-los."

Os viajantes deram seus nomes e a moça da guarda entrou no Castelo. Pouco depois, regressou para anunciar que Dorothy e seus companheiros seriam recebidos imediatamente.

Capítulo XXIII.
Glinda, a Bruxa Boa, Realiza o Desejo de Dorothy

Antes

DE SEREM RECEBIDOS por Glinda, porém, foram conduzidos a um dos aposentos do Castelo, onde Dorothy pôde lavar o rosto e pentear o cabelo; o Leão, remover a poeira da juba; o Espantalho, ajeitar a palha no corpo; e o Homem de Lata, polir o revestimento de ferro e lubrificar as juntas.

Uma vez apresentáveis, seguiram a moça da guarda até um amplo salão, onde a Bruxa Glinda estava sentada em um trono de rubis.

Era belíssima e ainda jovem. Seu vívido cabelo vermelho descia pelos ombros em cachos soltos. Usava um vestido imaculadamente branco e, com seus olhos azuis, fitou Dorothy com carinho:

"Em que posso ajudá-la, minha menina?", perguntou.

Dorothy contou toda sua história para a Bruxa: como o ciclone a levara para a Terra de Oz, como encontrara cada um de seus companheiros e as fantásticas aventuras que haviam vivido juntos.

"Mas agora meu maior desejo", concluiu, "é voltar para o Kansas, pois minha tia Em deve pensar que algo terrível me aconteceu e estar sofrendo muito com minha ausência. Logo vai achar que precisa vestir luto fechado e, a não ser que a colheita tenha sido melhor este ano do que foi no ano passado, sei que meu tio Henry não tem dinheiro para isso."

Inclinando-se para a frente, Glinda beijou o rostinho doce da adorável menina.

"Abençoada seja", disse ela. "Sei como te mandar de volta para o Kansas." E então, acrescentou: "Mas, para isso, terá que me dar a Touca Dourada".

"De bom grado!", exclamou Dorothy. "Para ser franca, não me tem mais uso. A senhora agora terá o direito de convocar os Macacos Alados três vezes."

"Acho que vou precisar deles exatamente três vezes", respondeu Glinda, abrindo um sorriso.

Dorothy entregou a Touca Dourada e a Bruxa então perguntou ao Espantalho:

"O que você vai fazer, depois que Dorothy nos deixar?"

"Vou voltar para a Cidade de Esmeraldas", respondeu, "pois Oz me tornou seu governante e o povo gosta de mim. Minha única preocupação é como vou fazer para atravessar a colina dos Cabeças de Martelo."

"Usando a Touca Dourada, vou ordenar que os Macacos Alados te levem até os portões da Cidade de Esmeraldas", disse Glinda, "pois seria uma lástima privar o povo de um líder tão extraordinário."

"Sou mesmo extraordinário?", indagou o Espantalho.

"Você é fantástico", retrucou Glinda.

Virando-se para o Homem de Lata, ela perguntou:

"Terá que me dar a Touca Dourada."

"O que você vai fazer, depois que Dorothy partir?"

Ele se apoiou em seu machado por um momento, pensativo. Então respondeu:

"Os Winkies foram muito gentis comigo e queriam que eu governasse a região, após a morte da Bruxa Má. Gosto muito deles e, se pudesse voltar para o Oeste, nada me daria mais alegria do que ficar lá para sempre."

"Meu segundo pedido para os Macacos Alados", disse Glinda, "será para que o levem para a terra dos Winkies. Você pode não ter um cérebro tão grande quanto o do Espantalho, mas tem mais brilho do que ele, é um homem muito polido e estou certa de que vai governar os Winkies com bondade e sabedoria."

A Bruxa então olhou para o grande e desgrenhado Leão e perguntou:

"Depois que Dorothy voltar para casa, o que você pretende fazer?"

"Passando a colina dos Cabeças de Martelo", respondeu ele, "há uma vasta e antiga floresta e os animais que nela habitam me reconheceram seu Rei. Se pudesse retornar a essa floresta, viveria muito feliz lá."

"Meu terceiro pedido para os Macacos Alados", disse Glinda, "será para que te levem à sua floresta. Depois, esgotado os pedidos da Touca Dourada, eu a devolverei para o Rei dos Macacos, para que seu bando seja livre para sempre."

O Espantalho, o Homem de Lata e o Leão expressaram gratidão sincera à Bruxa Boa por sua gentileza e Dorothy exclamou:

"Você é, sem dúvida, tão bondosa quanto bonita! Mas ainda não me disse como vou voltar para o Kansas."

"Seus Sapatos de Prata vão carregá-la pelo deserto", respondeu Glinda. "Se você soubesse como são poderosos, teria voltado para sua tia Em no mesmo dia em que veio parar aqui."

"Mas aí eu não teria conseguido meu extraordinário cérebro!", exclamou o Espantalho. "Teria passado o resto da vida preso a uma estaca no milharal."

"E eu não teria meu amoroso coração", disse o Homem de Lata. "Estaria condenado a viver enferrujado naquela floresta até o fim dos dias."

"E eu teria sido um covarde para sempre", declarou o Leão, "e os animais da floresta não iriam sequer me dirigir a palavra."

"É bem verdade", disse Dorothy, "e fico feliz por ter podido ajudar amigos tão maravilhosos. Mas agora que cada um possui o que sempre desejou, e ainda conquistou um reino para chamar de seu, gostaria de poder voltar para minha casa."

"Os Sapatos de Prata têm poderes formidáveis", disse a Bruxa Boa, "e um deles é poder transportar a pessoa que os está calçando para qualquer lugar do mundo em três tempos, num piscar de olhos. Tudo que você precisa fazer é bater seus calcanhares três vezes e ordenar que os sapatos a levem para onde deseja."

"Sendo assim", disse Dorothy, animada, "vou pedir que me levem imediatamente para o Kansas."

Dorothy então passou os braços em volta do pescoço do Leão e o beijou, acariciando sua juba com carinho. Depois beijou o Homem de Lata, que corria sério risco de ficar enferrujado com a profusão de lágrimas que rolava pelo seu rosto. Por fim, em vez de um beijo em seu rosto pintado, deu um abraço forte no Espantalho, apertando seu corpo macio de palha. Dorothy não conseguira segurar o pranto e a triste despedida de seus amados companheiros também lhe fizera chorar.

Glinda, a Bruxa Boa, desceu do seu trono de rubi para se despedir da menina com um beijo e Dorothy agradeceu o modo gentil como tratara a ela e seus amigos.

Após despedir-se mais uma vez, acomodou Totó solenemente em seu colo e bateu os calcanhares três vezes, dizendo:

"Levem-me de volta para tia Em!"

Em um instante, viu-se rodopiando pelo ar, de modo tão súbito e veloz que não pôde ver nada direito, apenas sentir o vento zumbir em seus ouvidos.

Em três segundos, os Sapatos de Prata a levaram de volta e ela aterrissou tão depressa que rolou na grama diversas vezes até reconhecer onde estava.

Por fim, sentou-se e olhou ao seu redor.

"Ora, essa!", exclamou.

Estava de volta à vasta planície do Kansas, diante da nova casa que tio Henry construíra após o ciclone ter levado embora a antiga. Tio Henry estava ordenhando as vacas no celeiro e Totó, desprendendo-se de seus braços, correu em direção a ele, latindo vigorosamente.

Dorothy se levantou e notou que estava descalça. Os Sapatos de Prata haviam caído durante o voo e se perdido para sempre no deserto.

Capítulo XXIV.
Em casa

Tia Em estava saindo para regar os repolhos quando viu Dorothy correndo em sua direção.

"Minha menininha!", gritou ela, envolvendo Dorothy nos braços e a cobrindo de beijos. "Onde você estava?"

"Na Terra de Oz", respondeu Dorothy, muito séria. "E Totó também. Mas, ah, tia Em! Não há maior alegria do que voltar para casa!"

LYMAN FRANK BAUM nasceu em Nova York, em 1856. Antes do sucesso literário, foi comerciante, criador de galinhas, caixeiro-viajante e diretor de uma companhia teatral. Em 1899, publicou a coletânea infantil *Papai Ganso*, com ilustrações de W.W. Denslow. A colaboração se repetiu em 1900, com *O Mágico de Oz*. As aventuras de Dorothy fizeram tamanho sucesso que Baum haveria de publicar mais treze livros sobre Oz. Morreu em 1919.

WILLIAM WALLACE DENSLOW nasceu na Filadélfia em 1856. Consagrou-se um dos mais célebres ilustradores norte-americanos por seu trabalho em parceria com L. Frank Baum, colaborando com o autor em *Papai Ganso* e em *O Mágico de Oz*. Ao longo de sua carreira, também ilustrou contos de fada e outros clássicos infanto-juvenis. Em 1904, escreveu e ilustrou um livro infantil, *The Pearl and the Pumpkin: A Classic Halloween Tale*, com Paul Clarendon West. Morreu em 1915.

MARCIA HELOISA é uma pesquisadora apaixonada pelo horror. Doutora em literatura pela UFF, traduziu os volumes de Edgar Allan Poe, *Drácula* e *Vitorianas Macabras* para a DarkSide. Após inaugurar as Fábulas Dark com as aventuras de *Alice no País das Maravilhas*, realiza o sonho de conduzir os darksiders pelas terras de Oz.

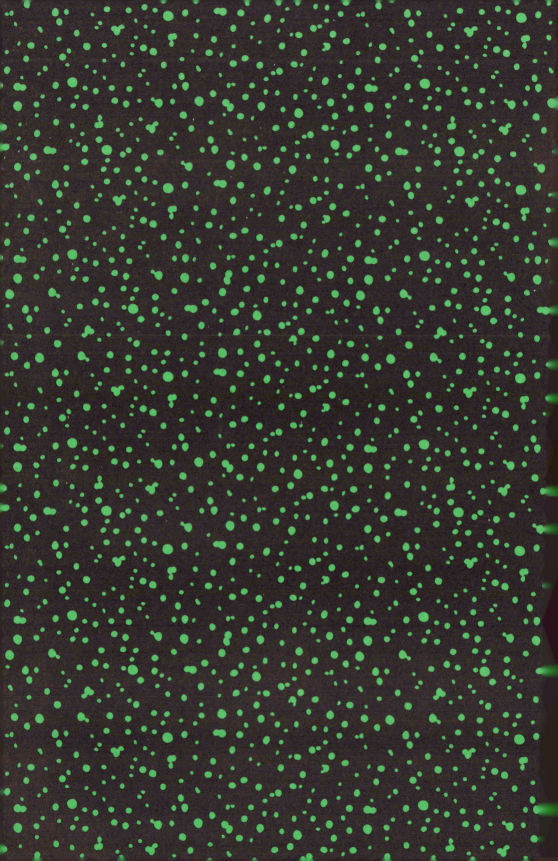

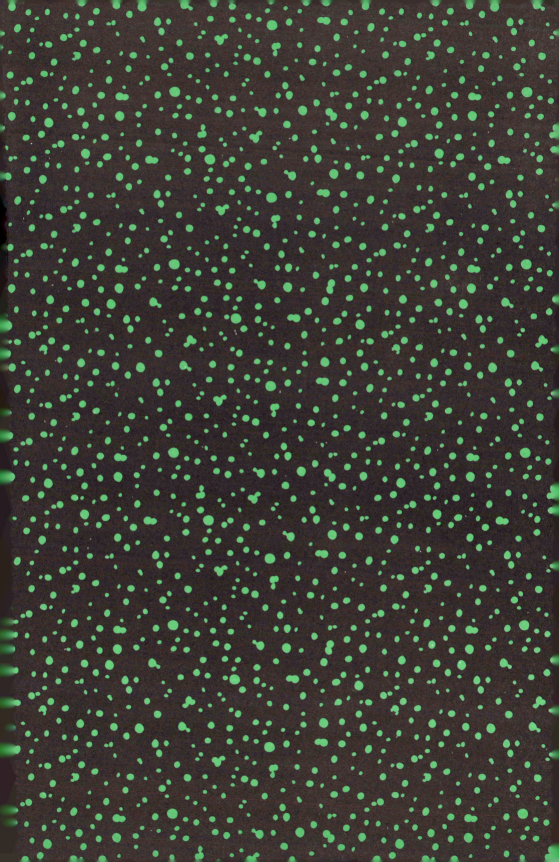

"Somewhere, over the rainbow
Skies are blue/ And the dreams that
you dare to dream/ Really do come true"
NOVEMBRO ALÉM DO ARCO-ÍRIS

DARKSIDEBOOKS.COM